파이선으로 쉽게 배우는

기초 프로그래밍

Basics of Programming in Python for easy learning

국형준 著

출간 배경

최근 IT 기술의 발달과 함께 소프트웨어에 대한 관심이 높아지고 있다. 우리의 하루 일과가 소프트웨어에 없이는 불가능하다고 해도 과언이 아닐 정도로 넘치는 소프트웨어 이용 환경 속에서 살고 있다. 스마트폰, SNS, 모바일 게임, 각종 예약과 쇼핑, 은행 거래, 의료 서비스, 내비게이션 등 일상에서 수많은 소프트웨어가 활용되고 있다. 직장에서도 마찬가지다. 많은 사람들이 어떤 직업 현장에서 일하든 소프트웨어 기술과의 접목으로 생산성을 높이는 혜택을 받고 있다. 소프트웨어 기술이 다른 많은 직업 영역과 융합되어 시너지 효과를 일으키는 분야는 의학, 공학, 과학, 법률, 행정, 교육, 경제, 경영, 예술, 스포츠 등 일일이 열거할 수 없을 정도로 많다.

소프트웨어에 대한 높은 의존으로 인해 IT 관련 전공자만이 아니라 비전공자도 소프트웨어 학습에 대한 관심이 고조되고 있다. 소프트웨어 학습의 핵심은 프로그래밍을 통한 문제해결력을 키우는 것이다. 이를 어떤 이는 '컴퓨팅적 사고'와 '코딩 능력'을 키우는 것이라고도 말한다. 컴퓨팅적 사고(computational thinking)란 말 그대로 인간의 사고방식이 아닌 컴퓨터식 사고방식을 말한다. 인간과 컴퓨터는 구조 및 사고 체계가 다르기 때문에 문제해결 방식에도 차이가 많다. 컴퓨팅적 사고를 하기 위해서는 컴퓨터의 문제해결 특성을 반드시 이해해야 한다.

컴퓨터 전공자들은 컴퓨터의 구조에 대한 이해가 있어 컴퓨터 프로그램에 의한 문제해결 학습을 통해 컴퓨팅적 사고를 하는데 큰 어려움이 없겠으나, 비전공자들의 경우 그런 학습과 훈련 기간이 없었던 관계로 여기에 적응하는데 어려움을 느끼게 된다. 하지만 비전공자들의 컴퓨터 이용 목표가 그다지 전문적인 것이 아니고 다만 자신들의 분야에서 생산성과 효율성을 높이는 문제해결 도구로 사용하겠다는 것이라면 여기에 맞는 수준과 내용의 학습을 제공하는 것은 제대로 짜여진 체계로 접근한다면 충분히 가능한 것이다.

배우고 싶다는 생각이 있더라도 초심자들의 가장 큰 걱정은 내가 과연 프로그래밍을 할 수 있을까부터 시작하여 무슨 책으로 어떻게 공부해야 하느냐일 것이다. 이 책은 누구라도 쉽게 배울 수 있는 기초적인 프로그래밍 입문서다. 저자가 이 분야에서 20여년 강의한 경험을 바탕으로 컴퓨터 전공자뿐 아니라 비전공자를 포함한 다양한 배경의 독자층도 감안해서 주제와 핵심을 놓치지 않는 범위에서 가능하면 알기 쉽게 서술했다. 컴퓨터 문제해결의 특성을 이해하기 쉽도록 설명하고 다양한 프로그램 사례들을 통해 문제해결에 대한 접근 방법을 안내하여 모든 이의 컴퓨팅적 사고를 배양하는데 도움을 준다. 누구라도 코딩을 이해하고 쉽게 따라 할 수 있도록 돕는 예제가 풍부하게 제시되며 독자가 관심을 가지고 스스로 해결해볼만한 흥미로운 과제도 다수 제시된다.

책의 내용 구성

이 책은 소프트웨어에 대한 기본적인 이해는 물론, 더욱 중요하게, 문제해결을 위한 코딩 능력을 향상시키는 방향으로 구성되었다. 1장은 소프트웨어에 대한 기본 개념과 프로그래밍에서 사용 가능한 문제해결 도구에 관해 개괄적으로 고찰한다. 그리고 이 책에서 사용할 코딩 언어인 python(파이선)을 설치하고 사용하는 법에 대해서 설명한다. 2장은 가장 기본적인 데이터인 상수, 변수에 관해 설명하고 역시 가장 기본적인 작업이랄 수 있는 입력과 출력에 대해 설명함으로써 나중에 설명할 고급 개념들의 이해를 위해 필수적인 기초를 마련한다. 3장에서는 컴퓨터가 제공하는 여러가지 계산 능력을 몇 가지 유형의 연산으로 나누어 학습한다. 4장은 문제해결을 위한 대부분의 프로그램 수행 과정에서 거의 필수적인 도구로서 기능하는 분기에 대해 설명한다. 5장은 독립적이거나 자주 재활용되는 명령 블록들을 효율적으로 다룰 수 있게 해주는 도구로서 함수에 대해 배운다. 6장은 하나가 아닌 여러 개의 데이터 묶음을 효과적으로 표현하고 취급 가능케 하는 도구로서 목록을 소개한다. 7장과 8장에 걸쳐 분기와 더불어 문제해결의 가장 강력한 도구 가운데 하나인 반복에 대해 설명하고 다양한 반복 유형에 대해 비교, 고찰한다. 마지막으로 9장은 또 하나의 유용한 문제해결 도구로서 재귀를 소개한다.

모든 장은 본문의 주제를 python으로 작성된 프로그램 예와 함께 설명할 것이며, 주제에 대한 설명이 끝날 때마다 다양하고 흥미로운 프로그래밍 예제들이 해결과 함께 제시되어 주제에 대한 심층 학습에 도움을 줄 것이다. 그 다음은 독자 스스로 해결하도록 제시된 과제들로 장이 마무리된다.

감사의 글

항상 나와 함께 해주는 내 가족에게 먼저 감사한다. 부모님, 아내와 아이들, 지헌과 서림이에게 고마운 마음뿐이다. 영감의 원천이 되어 준 동료 교수들과 제자들, 그리고 책을 제때에 제대로 출간하기 위해 수고를 아끼지 않으신 출판사 관계자분들께도 깊은 감사를 드린다.

2016. 2.
세종대학교 컴퓨터공학과
저자 국형준

CONTENTS

CHAPTER 1

프로그래밍과 문제해결
– 컴퓨팅적 사고 방식이란

1.1 소프트웨어, 프로그래밍, 문제해결

소프트웨어(software)는 컴퓨터를 운용하고 이용하는 명령 체계의 집합체 또는 명령들을 기술한 프로그램 집단을 말한다. 이는 하드웨어와 대비되는 개념으로서 **하드웨어**(hardware)란 컴퓨터를 구성하는 물리적인 부품, 장치 및 기기들의 집합체를 말한다. 하드웨어의 예로는 중앙처리장치(central processing unit, CPU), 주기억장치(main memory, RAM), 하드디스크와 같은 보조기억장치, 모니터, 키보드, 마우스, 그래픽카드, 사운드카드 등이 이에 속한다. 소프트웨어는 크게 두 종류로 구분할 수 있는데, 컴퓨터를 작동시키고 운용할 목적으로 만들어진 시스템 소프트웨어(system software)와 컴퓨터를 사용자가 편리하게 이용하기 위한 목적으로 만들어진 응용 소프트웨어(application software)가 있다.

1.1.1 학습 목표

종류에 관계없이 모든 소프트웨어는 공통적으로 **"컴퓨터에 의한 문제해결"**을 위한 논리적 절차를 명세한다. 구체적으로 말하면, 첫째 수행 주체에 있어서, 소프트웨어는 인간에 의해 만들어지지만 컴퓨터에 의해 해석 및 수행되며, 둘째 수행의 목적은 항상 주어진 문제의 구체적 해결에 있다. 마지막으로 수행의 방법은 컴퓨터의 작동방식에 기초한 체계적인 논리적 절차를 따른다.

우리가 이 책에서 주로 학습할 내용은 소프트웨어에 의한 문제해결 방법론에 대한 개념을 숙지하고 훈련하는 것이다. 그러기 위해서 문제해결을 위한 도구들을 구체화하고 이들을 하나씩 체계적으로 습득하는 과정을 거칠 것이다. 습득 과정에는 각각의 도구들을 사용한 프로그램 예제들을 공부하는 과정과 연습 과제들을 통해 배운 것을 훈련하는 과정이 포함될 것이다.

1.1.2 책의 구성과 내용

책의 구성은 다음과 같다. 먼저 첫 장에서는 소프트웨어의 기본 개념을 설명한 후(1.1 절), 몇 가지 문제해결 사례를 소개하면서 해당 문제의 해결에 어떤 해결 도구들이 쓰이는지 구체화하여 설명한다(1.2절). 그런 다음 문제해결 도구들을 요약하여 개괄적으로 소개한 후(1.3절), 마지막 절에서는 이 도구들을 언어적으로 표현할 체계로서 이 책에서 사용할 코딩 언어 python의 설치와 사용법에 대해 설명할 것이다(1.4절).

나머지 각 장에서의 학습 방법은 다음과 같다. 우선 문제해결에 주로 사용되는 프로그래밍 도구를 장마다 소개하고 이에 대해 학습한다. 그런 다음, 이 도구를 활용한 다양한 문제해결 예제들을 공부한다. 예제들은 첫 장에 제시된 python으로 코딩되어 독자의 이해도를 높일 것이다. 각 장의 마지막에는 학습한 도구를 독자 스스로 응용하는 능력을 배양하기 위한 프로그래밍 과제들이 제시된다.

1.2 몇 가지 문제들과 해결 절차

프로그래밍을 통한 문제해결을 구체적으로 예시하기 위해 다음 세 가지 문제를 다루어 보자.

- 생년월일로부터 만나이 계산
- 세균 번식
- 최대공약수 구하기

위의 세 문제는 우리가 이제 설명하려는 내용을 기준으로 볼 때 난이도가 조금씩 올라가는 순서로 배치되었다. 이어지는 절에서는 위 세 문제 각각에 대해 문제를 구체적으로 설명하고, 문제해결에 사용된 도구들을 고찰할 것이다. 이 과정에서 문제해결 과정을 나타낸 **다이어그램**을 활용할텐데 이는 문제해결의 논리적 과정을 간단한 도형을 이용하여 표시한 것을 말한다.

1.2.1 생년월일로부터 만나이 계산

사용자에게 생년월일을 넘겨 받아 이로부터 만나이를 계산하라.

해결

이 문제는 다음 절차로 해결될 수 있다.
1. 사용자가 입력한 생년과 생일을 변수에 각각 저장
2. 올해 년도에서 생년을 뺄셈하여 나이를 구한다
3. 오늘이 아직 생일 전이면 나이에서 1을 뺀다
4. 최종 나이를 인쇄

위 해결에서 사용된 '변수', '저장' 등의 용어는 지금은 생소하더라도 차후 이 책에서 자세히 배울 내용이므로 지금은 이대로 넘어가자. 심지어 '뺄셈', '인쇄' 등의 용어도 익숙하다 싶겠지만 이 책의 학습 체계 내에서 다시 설명될 예정이다. 그림 1-1은 위에 글로 제시된 해결 절차를 다이어그램으로 알기 쉽게 표현한 것이다.

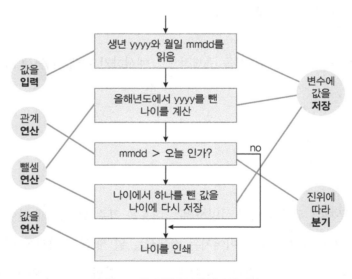

그림 1-1 생년월일로부터 만나이 계산

비교적 쉬웠던 이 문제의 해결에서 우리가 특별히 주목할 것이 있다. 그림1-1의 여러 개 원 속에 '입력', '저장', '연산', '출력', '분기' 등 주석이 쓰여 있다. 이 주석들은 문제 해결 과정의 세부단계 절차를 나타내기도 하지만, 실상은 문제해결을 위해 컴퓨터가 지원 또는 제공해야 할 도구들을 나타낸다. 다시 말해, 생년월일로부터 만나이를 계산하는 문제에 대한 컴퓨터의 해결은 다이어그램에서 보는 것처럼 이 도구들이 적재적소에 사용됨으로써 비로소 성취된다고 할 수 있다.

1.2.2 세균 번식

문제 ▍▍▍

한 마리의 새로 생겨난 세균은 바로 다음 날과 이틀 후 각각 한 마리의 세균을 번식한 후 소멸한다. 오늘 생겨난 한 마리의 세균이 있다. 오늘부터 n 일이 지난 후 새로 생겨날 세균 수를 계산하라.

해결

이 문제는 다음 절차로 해결될 수 있다.
1. 0 일째, 즉 오늘의 세균 수를 변수에 저장.
2. 1 일째 생길 세균 수를 변수에 저장.
3. 2 ~ n 일 사이의 i일째는 다음과 같이 계산:
      A. i − 2 일째와 i − 1 일째 세균 수를 합하여 i일째 세균 수를 계산.
      B. i − 1 일째 세균 수를 i − 2일째 세균 수로, i 일째 세균 수를 i − 1 일째 세균 수로 옮겨 저장.
4. 이 같은 방식으로 반복 계산하여 i = n 일째 세균 수를 구한다.

그림 1-2는 위의 해결을 다이어그램으로 나타낸다. 여기에서도 원 속에 보면 앞서 생년월일 문제와 마찬가지로 '저장', '연산', '출력' 등의 문제해결 도구가 사용되어야 함이 나타나 있다. 여기에 추가하여 앞 문제해결에서는 없었던 '반복'이라는 새로운 도구가 필요함을 알 수 있다.

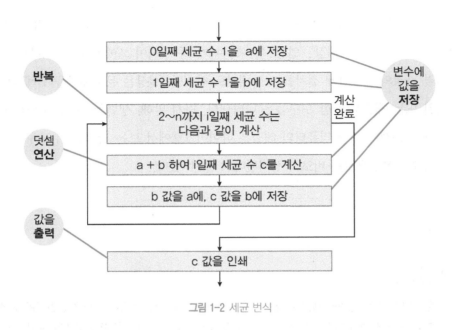

반복

변수에
값을
저장

계산
완료

덧셈
연산

값을
출력

| 0일째 세균 수 1을 a에 저장 |
| 1일째 세균 수 1을 b에 저장 |
| 2~n까지 i일째 세균 수는 다음과 같이 계산 |
| a + b 하여 i일째 세균 수 c를 계산 |
| b 값을 a에, c 값을 b에 저장 |
| c 값을 인쇄 |

그림 1-2 세균 번식

1.2.3 최대공약수 구하기

문제 ▏▎▍▏

두 개의 자연수 a, b를 읽어들여 두 수의 최대공약수를 구하라.

해결

이 문제는 다음 절차로 해결될 수 있다.

1. 유클리드 호제법을 응용한다.

2. **유클리드 호제법**(Euclid's algorithm)이란, 자연수 a, b의 최대공약수를 구하기 위해, 둘 중 큰 수를 작은 수로 나눈 나머지를 큰 수에 대입하기를 반복하여 나머지가 0이 될 때의 작은 수를 최대공약수로 얻는 방법이다.

3. 여기서 우리는 나머지 계산이 불가능하다고 전제하고, 유클리드 호제법을 조금 변형한 방법을 사용한다. 즉, 두 수를 비교하여 둘 중 큰 수에서 작은 수를 뺀 차와 작은 수를 다시 비교하는 것을 반복하여 두 수가 같아지면 그 중 아무 하나가 최대공약수다.

그림 1-3은 위의 해결을 다이어그램으로 나타낸다. 이 그림의 원 속에 보면 앞서 두 문제에서 나타났던 도구들이 대부분 다시 나타난 것을 알 수 있다. 즉, 이 문제를 컴

퓨터 프로그램으로 해결할 경우 상당히 넓은 범위의 문제해결 도구가 동원되어야 함을 의미한다.

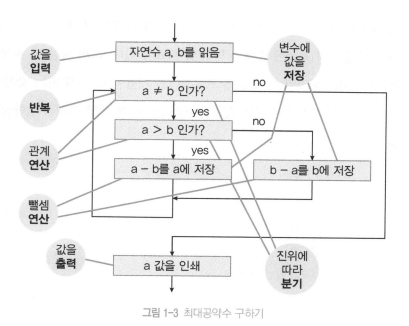

그림 1-3 최대공약수 구하기

1.3 문제해결 도구 개요

 앞 절에서 세 개의 문제를 예로 들어 이들에 대한 컴퓨터에 의한 문제해결을 예시하면서 컴퓨터의 어느 해결 도구가 어느 시점에 개입되어야 해당 문제들이 풀릴 수 있는지 살펴보았다.

실상 컴퓨터는 이러한 계산 도구들을 풍족히 가지며 대단한 계산 속도까지 보유한 막강한 존재임에도 불구하고, 컴퓨터 스스로는 아무 것도 할 수가 없다. 컴퓨터에 생년월일이 그냥 주어진다고 해서 만나이를 구할지 또는 다른 것을 구할지, 만나이를 구한다면 어떻게 구할지 등을 알 수가 없다. 두 개의 자연수를 컴퓨터에 공급해도 주어진 수들의 최대공약수를 어떻게 구하는지는 물론, 두 수를 어찌 처리해야 할지도 모른다. 따라서 어떤 문제를 컴퓨터를 사용하여 해결하기를 원한다면 컴퓨터가 보유

한 도구들을 언제 어떻게 사용할지 하나도 빠짐없이 지시해야 할 것이다. 그러한 지시가 바로 **프로그램**이다.

따라서 소프트웨어 개발을 통한 컴퓨터 활용을 원한다면 우선, 컴퓨터가 보유한 **해결 도구**들의 종류와 특성에 대해 정확히 알 필요가 있다. 그런 다음 이 지식에 기초하여 다양한 문제를 해결할 수 있는 소프트웨어를 개발할 수 있게 되는 것이다. 아래는 해결 도구들의 개요다. 이어지는 장에서 아래 도구들에 대한 구체적인 학습과 훈련을 제공할 예정이다.

- **저장**: 값을 저장하고 조회함
- **입력**: 컴퓨터가 외부로부터 값을 전달 받음
- **출력**: 컴퓨터의 계산 결과를 외부로 전달
- **연산**: 주어진 값들로부터 다른 값을 유도하는 계산
- **분기**: 조건에 따라 경로를 달리 하는 계산
- **함수**: 별도로 독립 집단화된 계산
- **목록**: 하나로 묶인 여러 개의 저장 장소
- **반복**: 조건에 따라 동일한 계산을 되풀이
- **재귀**: 함수가 스스로를 호출하여 문제해결

1.4 Python

 전산 언어에는 여러가지가 있다. 각자 고유한 언어체계를 가지고 있지만 전산 언어는 공통적으로 문제해결 절차를 표현할 수 있도록 하고, 코딩을 통한 프로그램 개발을 지원하며, 궁극적으로는 컴퓨터가 이해하는 기계적 명령으로 번역(compile) 또는 통역(interpret)되어 수행된다.

이 책에서 사용될 전산 언어는 **python**(파이선)이다. Guido van Rossum이 개발하여 2000년에 발표한 python은 무료로 널리 보급되는 언어다. 다른 전산 언어에 비해 비교적 쉽게 빨리 배울 수 있으며 가독성이 좋고 용량이 작은데 비해 효율이 좋으며 생

산성 또한 높아 인기가 많다. 코딩 교육은 물론 실제 업무현장에서도 많이 쓰이는 범용 전산 언어로써 Google, Yahoo, NASA 등 주요 기업을 포함하여 세계적으로도 널리 사용되고 있다. 이 장에서는 PC에서 python을 무료로 다운 받아 설치하는 방법을 소개한다. 설치를 마치면, 독자는 이 책에 수록된 다양한 python 프로그램을 그대로 복사하여 PC에서 실행해볼 수도 있으며, 코딩을 통해 자신만의 프로그램을 작성할 수도 있다.

1.4.1 Python 사용을 위한 필요 요소들

Python으로 프로그램을 작성하고 수행하기 위해서는 다음 세 가지가 필요하다. 이어지는 절에서 각각의 설치와 사용법에 대해 설명한다.

- Notepad++(노트패드++): 사용자가 python 프로그램을 작성하기 위한 워드 **편집기**
- Python(파이선): 사용자가 작성한 python 프로그램 내의 명령들을 컴퓨터에 대한 기계적 명령으로 번역하고 수행해줄 **통역기**
- PowerShell(파워쉘): 사용자가 작성한 python 프로그램을 실행하기 위한 작업 공간으로서의 **터미널**

1.4.2 Python 사용을 위한 필수 요소들 설치 작업

- **Notepad++ 설치**

  1. www.notepad-plus-plus.org에서 notepad++을 다운로드 및 설치한다. 또는 포털에서 notepad++을 검색하여 다운로드 및 설치한다.
  2. 설치 중 응답에서 notepad++이 작업표시줄이나 바탕화면에도 생기도록 하면 나중에도 편하게 사용할 수 있다.
  3. 설치 완료되면 시작메뉴에 notepad++ 폴더가 생긴다.

- Python2 설치

  1. www.python.org에서 python2의 최신 버전을 다운로드 및 설치한다(python3가 아님!).

  2. 설치 중 응답에서 "Add python.exe to Path" 설정을 "Will be installed on local hard drive"로 바꾼다.

  3. 설치 완료되면 시작메뉴에 python2 폴더가 생긴다.

- PowerShell

  1. PowerShell은 PC 윈도우 운영체제에서 기본 제공되므로 별도로 설치할 필요가 없다.

  2. 위치는 시작메뉴 〉 보조프로그램 〉 Windows PowerShell 〉 Windows PowerShell이다.

  3. 못 찾겠으면 시작메뉴의 검색창에서 "Windows PowerShell"을 검색한다.

  4. 작업표시줄이나 바탕화면에도 고정시켜 놓으면 편하게 사용할 수 있다.

1.4.3 PowerShell에서 Python 설치 확인

- PowerShell을 실행한다.
- PowerShell을 실행하면 터미널이 열린다.
- 터미널에서:

  1. "python"이라고 입력하고 〈Enter〉하면 python이 실행된다.

  2. Python에서:

     - Python이 실행되면 python의 버전 정보가 터미널에 나타난다.
     - Python이 실행되는 것을 확인했으면 "quit()"이라고 입력하고 〈Enter〉하여 python을 종료한다(터미널로 돌아간다).

  3. 터미널에 "exit"을 입력하여 터미널을 닫는다.

4. 만약 python이 실행되지 않는다면 터미널에 "exit"을 입력하여 터미널을 닫고 우선 python부터 다운로드 및 설치해야 한다.

5. 그래도 python이 실행되지 않으면 시스템 재부팅

1.4.4 Notepad++에서 Python 프로그램 작성 및 실행 테스트

▪ **Notepad++ 편집기에서:**

1. Notepad++을 열어 간단한 python 프로그램을 작성하고 Notepad++의 파일 〉 다른 이름으로 저장…" 메뉴에서 적당한 폴더(예: myPython)에 "**파일명**.py"라는 이름으로 저장한다(예: prog1.py).

2. **파일명**은 자유지만 확장자는 반드시 "py"여야 한다.

▪ **PowerShell 터미널에서:**

1. "cd **폴더**" 명령을 입력하여 방금 python 프로그램을 저장한 폴더로 이동한다 (예: cd myPython). 참고로 PowerShell에서는 폴더를 '디렉토리(directory)'라고 부른다.

2. "python **파일명**.py"를 입력하고 〈Enter〉하면 프로그램이 실행된다(예: python prog1.py).

3. 실행 결과, 프로그램의 수정이 필요하면 notepad++ 편집기로 돌아가 수정, 저장한 후 다시 실행한다.

1.4.5 Python 실행을 위해 알아아 할 PowerShell 명령어

PowerShell은 주로 명령어라인을 통해 작동하는 운영체제다. 즉, 한 개의 명령이 한 개의 라인으로 입력되면 시스템이 이를 수행하는 체제다. 윈도우 운영체제 사용자에게는 생소한 운영체제지만 python을 PowerShell에서 수행하는 것이 편하므로 이 운영체제에 대해서 조금은 알아둘 필요가 있다. PowerShell 운영체제의 모든 명령어를

익힐 필요는 없고 python을 무난히 수행할 수 있을 만큼 몇 가지 명령어만 배우면 된다. 이 절에서는 이들을 소개한다.

다음에 설명하는 모든 명령어는 PowerShell 터미널에 입력하고 〈Enter〉하는 명령어다. 고딕체로 쓰인 폴더, 파일명 등은 해당 폴더나 파일명으로 대체해서 사용하란 의미다.

▪ cd 폴더 (폴더로 이동)

```
cd myPython                    # 현재 폴더의 'myPython'폴더로 이동
cd d:                          # 'd' 드라이브로 이동
cd ..                          # 현재 폴더의 상위 폴더로 이동
```

▪ ls 폴더 (폴더 내용 보기)

```
ls                             # 현재 폴더의 내용 보기
ls ..                          # 현재 폴더의 상위 폴더 내용 보기
ls myPython                    # 현재 폴더의 'myPython' 폴더 내용 보기
```

▪ pwd (현재 폴더 이름 표시)

```
pwd                            # 현재 폴더 이름 표시
```

▪ python 파일명.py (python으로 파일명.py를 실행)

```
python prog1.py                # 현재 폴더의 'prog1.py'를 실행
python                         # python 실행 모드 진입
```

▪ exit (PowerShell 종료)
▪ 〈Ctrl〉-C (프로그램 실행 중지)

다음은 명령어는 아니지만 PowerShell의 명령 입력 라인에서 〈Enter〉 키를 치기 전에
사용할 수 있는 유용한 편집 기능들이다. 알아두면 편리하다.

▪ 〈Tab〉 (단어 자동 완성)

```
python m<Tab>              # 현재 폴더에서 'm'으로 시작하는 파일 중
                             이름이 가장 빠른 것으로 자동 완성
cd my<Tab>                 # 현재 폴더에서 'my'로 시작하는 폴더 중
                             이름이 가장 빠른 것으로 자동 완성
```

▪ ← → (커서 이동)

```
pyton prog1.py            # 'pyton' 오타를 커서 이동하여 수정
```

▪ ↑ ↓ (입력 내용 복사)

```
↑                          # 과거쪽으로 스크롤하여 복사(수정 가능)
↓                          # 현재쪽으로 스크롤하여 복사(수정 가능)
```

요약

- **소프트웨어**는 하드웨어와는 대비되는 개념으로 컴퓨터를 운용하고 이용하는 명령 체계로서의 프로그램 집단을 말한다. 여기에는 **시스템** 소프트웨어와 **응용** 소프트웨어 두 종류가 있다.
- **프로그램**은 "**컴퓨터에 의한 문제해결**"을 위한 논리적인 절차를 명세한다.
- **프로그래밍**에서 사용 가능한 **문제해결 도구**는 저장, 입출력, 연산, 분기, 함수, 목록, 반복, 재귀 등 다양하다.
- 이 책에서 사용할 전산 언어는 python이다. **전산 언어**는 문제해결의 절차를 코딩하여 프로그램을 작성할 수 있도록 하는 언어며 궁극적으로는 컴퓨터가 이해하는 기계어로 번역 또는 통역되어 실행된다.

과제

1-1 빈칸 채우기

1. 프로그램은 (인간 , 컴퓨터)에 의한 문제해결을 위한 논리적 절차를 명세한다.

2. 소프트웨어에는 크게 (   ) 소프트웨어와 (   ) 소프트웨어 두 종류가 있다.

3. 컴퓨팅적 사고를 기르기 위해서는 컴퓨터가 제공하는 (   ) 도구에 대한 학습이 선행

   되어야 한다.

4. (   )는 문제해결의 절차를 코딩하여 프로그램을 작성할 수 있도록 하는 언어며, 프로

   그램은 최종적으로 컴퓨터가 이해하는 (   )로 번역 또는 통역되어 실행된다.

CHAPTER 2

상수, 변수와 입출력
– 저장과 조회 및 읽고 쓰기

2.1 상수

상수(constant)는 컴퓨터가 처리하는 기본 데이터로써, 다양한 문제해결 과정에서 데이터로 주어져 다른 값을 찾아내는 계산에 활용된다. 그런 이유로 표현 방식에 약간의 차이는 있으나 대개의 프로그램은 상수를 용이하게 다룰 수 있도록 지원한다.

상수는 프로그램 수행시 컴퓨터의 저장 공간에 할당되며 프로그램 수행 내내 프로그램을 통해 원래의 값을 변경할 수 없다. 상수의 예로는 수와 문자열이 있다. 다음은 각각의 예다.

▪ **수의 예**

```
365
0
3.14
```

▪ **문자열의 예**

```
'A'
'홍길동'
"Good Morning!"
```

2.1.1 문자열

문자열(string)은 텍스트 집단으로써 키보드 상의 인쇄 가능한 문자들을 모은 형태로 구성된다. 키보드 상에 있지만 〈Enter〉, 〈Tab〉, 〈Delete〉, 〈Ctrl〉, 〈Alt〉 등의 특수 키들은 인쇄 불가능하므로 문자열 구성에서 제외된다. 아래에 보인 예처럼 문자열은 좌우 양끝이 큰따옴표나 작은따옴표로 둘러싸여 표현된다.

- 문자열의 추가예

```
"Apple"
"다시 입력하세요(4자리 수만 허용합니다): "
"I like 'Seoul'."
'010-2222-3333'
'홍길동'
'2018 "World Cup"!'
```

2.1.2 탈출문자열

큰따옴표로 싸인 문자열 텍스트의 일부로 큰따옴표를, 또는 작은따옴표로 싸인 문자열 텍스트의 일부로 작은따옴표를 넣고 싶을 때는 어떻게 표시해야 할까. 이 경우의 큰따옴표와 작은따옴표는 특수 문자라고 하며 이러한 특수 문자는 **탈출문자열**(escape sequence)을 이용해서 표시한다. 탈출문자열로 표시하기 위해 해당 특수 문자 앞에는 **백슬래시**(backslash, '\')를 붙인다. 하필 백슬래시를 문자열 텍스트의 일부로 사용하고 싶을 때는 백슬래시 앞에 또하나의 백슬래시를 붙여서 탈출문자열로 만든다. 다음은 탈출문자열의 예다.

- 탈출문자열의 예

```
"내 이름은 \"홍길동\"입니다"
'내 이름은 \'김삿갓\'입니다'
"이 문자열 속에 \"를 넣으려면 \\\"로 표기하면 됩니다"
'이 문자열 속에 \'를 넣으려면 \\\'로 표기하면 됩니다'
```

2.2 변수

변수(variable)는 프로그램 수행시 컴퓨터 기억장치의 일부 공간에 할당된다. 이 공간은 프로그램 수행 초기에 할당되며 프로그램 종료와 함께 해제된다. 변수에는 특정 값이 저장되며 이 값은 프로그램 수행 과정에서 변경될 수 있다(**참고**: 상수는 변경될 수 없다).

2.2.1 변수명

변수의 이름에는 **식별자**(identifier)가 사용된다. 식별자는 알파벳으로 시작하여 알파벳이나 숫자 또는 언더스코어('_')만을 포함할 수 있다. 알파벳은 대소문자 모두 가능하다. 이를 위배하면 식별자가 될 수 없으므로 변수명으로 부적합하다. 예를 들면,

- **부적합한 변수명의 예**

```
2015
my average
DC30%
```

프로그램에서 사용을 권장할만한 좋은 변수명은 너무 길지 않으면서 그 자체로도 의미가 통하는 식별자들이다. 예를 들면,

- **좋은 변수명의 예**

```
city
averageScore
net_Income
```

반대로, 사용을 권하고 싶지 않은 안 좋은 변수명은 그 자체로는 의미가 불분명한 식별자들이다. 예를 들면,

- 안 좋은 변수명의 예

```
xxxx
mmsdf57
```

2.2.2 치환문

치환문(assignment statement)은 변수에 특정 값을 저장하는 프로그램 명령문이다. python에서 치환문은 **"변수 = 값"** 형식으로 표기된다. 치환 기호 '='의 오른쪽 값을 왼쪽 변수에 저장하라는 명령이므로 오른쪽에는 값으로 평가될 수 있는 것이면 무엇이든 나타날 수 있지만 왼쪽에는 반드시 해당 값을 저장할 변수 이름이 나타나야 한다. 구체적으로 오른쪽에는 상수, 변수, 수식 등이 주어지는데 상수인 경우 해당 상수 값이, 변수인 경우 해당 변수에 현재 저장된 값이, 수식인 경우 수식을 평가한 값이 왼쪽의 변수에 저장된다. 이런 까닭에 치환문을 **'대입문'** 또는 **'할당문'**이라고도 부른다.

다음은 치환문의 예다. 두번째 예는 치환 기호 '='를 'equals to(~와 같다)'로 읽지 말아야 하는 이유를 말해준다. 치환 기호는 'gets(~를 가진다)' 또는 'becomes(~가 된다)'로 읽는 것이 의미가 통해서 좋다. 마지막의 이중 치환문은 오른쪽의 값 5를 변수 a, b 모두에게 저장하라는 뜻이다. 필요하다면 삼중, 사중도 가능하다.

- 치환문의 예

```
x = 1
sum = sum + x
name = '홍길동'
greeting = "Good Morning!"
a = b = 5
```

위의 단순 치환문 외에 python은 연산과 결합한 치환문을 제공한다. 이들은 연산 기호와 '='을 결합한 기호를 사용하는데 그 의미는 치환문의 왼쪽 변수에 해당 연산을 누적하라는 것이다. 예를 들면 다음과 같다.

- **치환문의 추가예**

```
x += 1 ·································· x의 현재 값에 1을 더하여 x에 저장
y -= 3 ·································· y의 현재 값에서 3을 빼 y에 저장
a *= 5 ·································· a의 현재 값에 5를 곱해 a에 저장
b /= 5 ·································· b의 현재 값을 5를 나누어 b에 저장
c %= 10 ································ c의 현재 값을 10으로 나눈 나머지를 c에 저장
```

위에 보인 복합 치환문은 모두 단순 치환문으로도 작성할 수 있는 것들이므로 불편하면 굳이 사용하지 않아도 된다. 예를 들어 "y = y − 3" 또는 "b = b / 5"로 써도 된다. 연산에 대해서는 다음 장에서 더욱 상세히 설명한다.

2.2.3 변수값 조회

프로그램 수행 과정에서 변수에 저장된 값을 조회할 수 있다. 즉, 변수에 현재 저장된 값을 읽어낸다는 의미다. 다양한 방식에 의해 조회가 가능하며 예는 다음과 같다.

- **산술식에서 조회하는 예: (치환문 오른쪽의 변수 x의 값을 조회)**

```
y = x - 1
```

- **관계식에서 조회하는 예: (관계식 왼쪽의 변수 city의 값을 조회)**

```
if city == 'Pusan':
```

- 인자로 조회하는 예: (변수 sum, greeting, x, y의 값을 조회)

```
return sum
print greeting
myFunction(x, y)
```

2.3 입력과 출력

그림 2-1은 전형적인 컴퓨터 데이터 처리의 개요를 보인다. 그림에서처럼 컴퓨터는 외부로부터 필요한 데이터를 입력받아 내부 계산 과정을 거친 후 계산 결과를 외부로 전달한다. 이 절에서는 입력과 출력에 대해 설명한다.

그림 2-1 컴퓨터의 데이터 입출력

2.3.1 입력

입력(input)은 외부로부터 컴퓨터에 데이터를 공급하는 것을 말한다. 프로그램에서 명령하면 컴퓨터는 **중앙처리장치**(central processing unit, CPU)의 통제 하에 외부 데이터를 컴퓨터의 기억장치로 읽어들인다.

가장 기초적인 입력 방식은 **입력문**을 통하는 것이다. **입력문**(input statement)은 프로그램 명령문 가운데 하나로서 외부로부터 프로그램 내부 변수에 특정 값을 읽어들인다. Python에서 입력문은 "input( )" 또는 "raw_input( )"으로 표기된다. 두 입력문의 차이는 다음과 같다. input은 명령을 수행할 때마다 〈Enter〉 키로 입력된 단 한 개의 값을 평가하여 읽어들인다. 즉, 단 한 개의 상수나 변수만 입력할 수 있으며 변수인 경우 해당 변수의 현재 값으로 변환해서 받아들인다. raw_input은 〈Enter〉 키로 입력된 텍스트 라인 전체를 날 것 그대로 읽어들인다. 즉, 입력된 텍스트 라인 전체를 하나의 문자열로 받아들인다. 그림 2-2는 input과 raw_input의 차이를 그림으로 보인다.

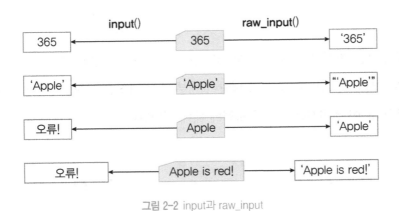

그림 2-2 input과 raw_input

보통은 입력문을 통해 값을 입력하는 즉시 치환문을 사용하여 그 값을 변수에 저장함으로써 차후 프로그램 수행 과정에서 사용될 수 있도록 한다. 다음 예들은 모두 입력 명령을 통해 외부로부터 값을 읽어들여 변수에 저장하라는 명령문들이다.

아래 첫번째 명령에 2016을 입력하면 year 변수에 2016이 저장된다. 두번째 명령에 90을 입력하면 문자열 '90'이 score변수에 저장된다. 세번째 명령에 "Sinsadong 770, Seoul"을 따옴표 없이 입력하면 "Sinsadong 770, Seoul" 문자열이 address1 변수에 저장된다. 네번째 명령에 똑같이, 따옴표 없이 입력하면 입력된 값이 한 개를 넘기 때문에 오류를 일으킨다. 이 명령에 "Sinsadong"만 따옴표 없이 입력해도 이번엔 Sinsadong 변수에 미리 저장된 값이 없다는 오류를 일으킨다. 흔히 보는 "undefined" 오류다. 하지만 따옴표로 둘러싸서 "Sinsadong"이라고 입력하면 이 문자열이 address2 변수에 저장된다.

■ 입력 즉시 치환하는 예

```
year = input() ································ 년도를 넣으면 수로 저장
score = raw_input() ······················ 점수를 넣으면 '점수' 문자열로 저장
address1 = raw_input() ··················· 주소를 넣으면 '주소' 문자열로 저장
address2 = input() ······················· '주소'를 넣으면 '주소' 문자열로 저장
```

2.3.2 프롬프트

프롬프트(prompt)란 입력문 사용시 사용자에게 입력에 대해 안내하는 메시지를 인쇄하는 것 또는 안내 메시지 그 자체를 말한다. 사용자는 프롬프트 메시지를 본 후에 안내에 따라 컴퓨터가 요구하는 데이터를 공급하게 되는 것이다. 프롬프트 입력문은 "input(문자열)" 또는 "raw_input(문자열)" 형식을 취한다. 프롬프트 입력문의 사용 목적은 크게 두 가지로 볼 수 있다. 즉, 사용자에게 입력할 **내용** 아니면 입력의 **형식**을 안내하는 것이다. 다음은 각각의 예다.

■ 입력 내용 안내를 위한 프롬프트 입력문예

```
amount = input("입금하실 금액을 써주세요: ")
ssn = raw_input("주민번호를 입력해주세요: ")
```

■ 입력 형식 안내를 위한 프롬프트 입력문예

```
password = raw_input("중복이 없는 네 자리 수를 입력해주세요: ")
validUntil = raw_input("카드 유효기간을 mmyy 형식으로 써주세요: ")
```

위에 보인 예를 그대로 프로그램으로 옮겨 수행한다면 그림 2–3과 같은 입출력이 발생할 것이다. 앞으로도 이 책에서는 그림 2–3과 같은 입출력창에서 입력은 기울인 글씨로, 출력은 곧은 글씨로 구분하여 나타낼 것이다. 이 예에서 입금 금액은 수로

저장되지만 나머지는 모두 문자열로 저장되는 것에 주의하자. 주민번호는 가운데 하이픈 때문에, 네 자리 수와 카드 유효기간은 앞에 숫자 0이 있을 가능성 때문에 raw_input을 사용해 입력했기 때문이다. 만약 앞에 0이 있는 수를 입력하면 8진수로 평가된다.

입금하실 금액을 써주세요: *50000*
주민번호를 입력해주세요: *990101-2222222*
중복이 없는 네 자리 수를 입력하세요: *4386*
카드 유효기간을 mmyy 형식으로 써주세요: *0720*

그림 2-3 프롬프트 입력 수행예

2.3.3 출력

출력(output)은 프로그램 수행에 따른 컴퓨터의 계산 결과를 외부로 전달하는 것을 말한다.

가장 기초적인 출력 방식은 출력문을 통하는 것이다. **출력문**(output statement)은 프로그램 명령문 가운데 하나로서 특정 메시지나 프로그램 내부 변수에 저장된 특정 값을 인쇄하여 외부로 전달한다. Python에서 출력문은 "**print 문자열, 상수, 변수, 수식, …**" 형식으로 표기된다. 출력 명령이 수행되면 출력 대상 각각을 평가하여 값을 출력한다. 따라서 문자열이나 상수는 해당 값을 그대로, 변수는 그 변수에 현재 저장된 값을, 수식은 그 수식을 평가한 값을 출력한다. 만약 출력 대상에 값이 정해지지 않은 변수가 섞여 있으면 "undefined" 오류를 일으킨다. 다음은 출력문의 예다.

- 출력문예

```
print result
print "평균값은:", average
print "최대값 =", max, "최소값 =", min
print 7, '7', "7"
print "3 + 5 =", 3 + 5
print "I like", city, "."
```

위의 예를 그대로 프로그램으로 옮겨 수행한다면 그림 2-4와 같은 출력이 발생한다. 이 책에서는 해당 학습 주제만을 명확히 전달하기 위해 이와 관계 없는 주제들 즉, 출력되는 값들 사이에 몇 칸을 띄울지, 소수를 인쇄할 때 소수점을 몇자리까지 어떻게 표현할지 등 출력의 상세 내용에 대해서는 구체적 논의를 생략할 것이다. 대신 그림 2-4에서처럼 보기 편한 수준으로 출력된다고 가정하고 처리한다.

```
64.5
평균값은: 85
최대값 = 97 최소값 = 63
7 7 7
3 + 5 = 8
I like Seoul.
```

그림 2-4 출력문예

앞서 배운 탈출문자열 역시 만약 다음과 같은 출력문을 통한다면 그림 2-5처럼 탈출 기호(백슬래시)가 제외된 텍스트가 출력된다.

- 탈출문자열 출력문예

```
print "내 이름은 \"홍길동\"입니다"
print '내 이름은 \'김삿갓\'입니다'
print "이 문자열 속에 \"를 넣으려면 \\\"로 표기하면 됩니다"
print '이 문자열 속에 \'를 넣으려면 \\\'로 표기하면 됩니다'
```

내 이름은 "홍길동"입니다
내 이름은 '김삿갓'입니다
이 문자열 속에 "를 넣으려면 \"로 표기하면 됩니다
이 문자열 속에 '를 넣으려면 \'로 표기하면 됩니다

그림 2-5 탈출문자열 출력예

2.4 주석

주석(comments)은 프로그램 텍스트의 일부지만 프로그램으로 취급되지 않는 부분이다. 주석임을 나타내기 위해 주석 기호 파운드(pound, '#')를 사용한다. 프로그램 텍스트 라인의 주석 기호 이후는 프로그램으로 취급하지 않는다. 주석 기호는 텍스트 라인의 첫머리 또는 중간 아무 곳에나 사용할 수 있다.

주석의 사용 목적은 프로그램의 가독성을 높여 유지보수성을 향상시키는 것이다. 보통 두 가지 형태로 사용되는데 먼저 라인의 첫머리부터 사용된 경우 프로그램 전체나 바로 아래 블록의 수행 내용을 설명한다. 다음, 라인의 중간에 사용된 경우 주석 바로 왼쪽의 프로그램 명령문에 대해 설명한다.

▪ prog2-1 주석 사용예

다음 prog2-1은 주석을 사용한 python 프로그램예, 그리고 그림 2-6은 해당 프로그램이 수행한 입출력을 보인다. 주의할 점은, 14와 20행에 보면 주석 기호 '#'가 문자열 속에 나타난다. 이런 경우 '#'는 문자열을 구성하는 일부며 따라서 프로그램의 일부가 되므로 주석 기호가 아니다.

참고로, 맨 처음의 1행은 한글 인코딩에 관해 지시하는 특별한 주석이다. 앞으로도 모든 python 프로그램에서 프로그램 내부든 주석이든 한글을 사용해야 한다면 이 라인이 첫번째 행으로 포함되어야 한다.

```
1   # -*- coding: utf-8 -*-

2

3   # prog2-1 주석 사용예

4

5   # 프로그램 전체에 대한 주석입니다.

6   # 이 라인의 첫머리에 #이 있으므로 이 라인 전체가 주석입니다.

7   # 프로그래밍팀: 21cFOX

8   # 팀원: 서림, 정은, 혜진, 정윤, 영숙

9   #### 작성 연월일: 2016. 3. 5 ####

10

11  # 사용자로부터 정보를 읽어들입니다

12

13  name = raw_input("이름: ")              # 이름을 읽어들인다

14  phone = raw_input("전화#: ")            # 문자열 속의 '#'는 문자열의 일부

15

16  # 읽어들인 정보를 출력합니다

17

18  print "입력하신 정보입니다:"

19  print "이름:", name

20  print "전화#:", phone
```

```
이름: 홍길동
전화#: 010-5555-7777

입력하신 정보입니다:
이름: 홍길동
전화#: 010-5555-7777
```

그림 2-6 prog2-1 수행 결과 입력 및 출력

CHAPTER 2 상수, 변수와 입출력 - 저장과 조회 및 읽고 쓰기

요약

- **상수**와 **변수**는 모두 프로그램 수행시 컴퓨터의 기억장치에 할당된다. 프로그램 수행 중 상수의 값은 불변이며 변수의 값은 변할 수 있다.
- **문자열**은 텍스트 집단으로써 키보드 상의 인쇄 가능한 문자들로 구성되며 큰따옴표나 작은따옴표로 둘러싸여 표기된다.
- **탈출문자열**은 문자열 속에 특수 문자를 포함한 것을 말하며 탈출 기호(백슬래시)를 사용하여 표기된다.
- **치환문**은 변수에 특정 값을 저장하기 위해 사용된다.
- **입력**은 외부로부터 컴퓨터에 데이터를 공급하는 것을, **출력**은 컴퓨터의 계산 결과를 외부로 전달하는 것을 각각 말한다.
- **프롬프트 입력문**은 사용자에게 입력 형식이나 내용을 안내하기 위한 문자열을 인쇄함과 동시에 입력을 요구하는 명령문을 말한다.
- **출력문**에 포함될 수 있는 것은 상수, 변수, 문자열, 수식 등이 있으며 이들 각각을 평가한 값이 출력된다.
- **주석**은 프로그램 텍스트의 일부지만 프로그램으로 취급되지 않는 부분을 말하며 주석 기호(파운드)를 사용하여 표기한다.

예제

2-1 간단한 입출력예

이름, 전화번호, 주소 등 정보를 입력받아 그대로 출력하는 프로그램을 작성하라. 그림에서 보듯이, 입력시에 적당한 프롬프트를 제공하고 출력시에 적당한 메시지와 함께 인쇄해야 한다.

```
이름: 홍길동
전화번호: 010-5555-7777
주소: 신사동 1번지

안녕하세요, '홍길동'님
입력하신 정보는 다음과 같습니다:
전화번호: 010-5555-7777
주소: 신사동 1번지
```

해결

```python
1   # -*- coding: utf-8 -*-
2
3   # ex2-1 간단한 입출력예
4
5   name = raw_input("이름: ")
6   phone = raw_input("전화번호: ")
7   address = raw_input("주소: ")
8
9   print "안녕하세요,", "'", name, "'님"
10  print "입력하신 정보는 다음과 같습니다:"
11  print "전화번호:", phone
12  print "주소:", address
```

2-2 탈출문자열 사용예

그림에서 보듯이, 분과 초 수를 입력받아 약호로 인쇄하라.

• 예: 3분 15초의 약호는 3'15"로 표기한다.

```
이름: 홍길동
잠수 시간을 입력해주세요
분: 1
초: 30

안녕하세요, "홍길동"님
잠수 시간은 1'30"입니다
```

```
1    # -*- coding: utf-8 -*-
2
3    # ex2-2 탈출문자열 사용예
4
5    name = raw_input("이름: ")
6
7    print("잠수 시간을 입력해주세요")
8    minutes = input("분: ")
9    seconds = input("초: ")
10
11   print "안녕하세요, \"", name, "\"님"
12   print "잠수 시간은", minutes, "'", seconds, "\"", "입니다"
```

과제

2-1 빈칸 채우기

1. 인쇄 가능한 문자들로 구성된 텍스트 집단을 (   )이라고 하며 특수 문자를 포함한 경우 (   )이라고 한다.

2. 변수를 위한 저장 공간은 프로그램 수행 초기에 기억장치의 일부 공간에 할당되며 프로그램 (   )와 함께 해제된다. 변수에 특정 값을 저장하는 "**변수 = 값**" 형식의 명령은 (   )이라고 부른다.

3. 변수의 이름은 식별자를 사용하며 식별자는 알파벳으로 시작하여 (   ), (   ), 또는 (   )만을 포함할수 있다.

4. (   ) 입력이란 입력문 사용시 사용자에게 안내 메시지를 인쇄함을 말한다. 이것의 사용 목적은 사용자에게 입력의 내용이나 형식을 안내하고자 함이다.

5. print 명령을 사용한 인쇄문에 변수가 제시되면 해당 변수의 (   )이 인쇄되며 수식이 있을 경우 해당 수식의 (   )이 인쇄된다.

6. 주석기호로는 (   )를 사용하며 프로그램 텍스트 라인에서 이 기호 이후 부분은 프로그램으로 취급되지 않는다.

2-2 세 과목 점수 입출력

적당한 프롬프트를 사용하여 영어, 수학, 국어 세 과목의 점수(100점 만점)를 차례로 입력받아 적당한 메시지와 함께 인쇄하는 프로그램을 작성하라.

이름과 과목별 점수를 임시 보관했다가 출력해야 하므로 몇 개의 **변수**를 사용해야 한다.

이름은? *홍길동*
영어, 수학, 국어 점수를 입력하세요.
77
90
85

홍길동님의 과목별 점수입니다.
영어 77
수학 90
국어 85

2-3 탈출문자열 (1)

이름을 입력받아 그림에 보이는 다섯 가지 형식으로 출력하는 프로그램을 작성하라.

이 가운데 일부는 탈출문자열로 처리해야 한다.

이름을 **변수**에 보관했다가 다섯 가지 형식으로 출력한다.

2-4 탈출문자열 (2)

다음 그림에서 보듯이, 세 개의 라인에 각각 큰따옴표, 작은따옴표, 백슬래시 세 개씩을 연달아 인쇄하는 프로그램을 작성하라.

모두 탈출문자열로 처리해야 한다.

연산
- 모든 계산의 원천

연산(computation)은 컴퓨터의 중앙처리장치에서 담당하는 것으로써 한 개 이상의 피연산자(데이터)에 연산자(함수)를 적용하여 새로운 값을 얻어내는 것을 말한다. 연산에는 다음 세 가지 유형이 있다.

- 산술 연산
- 관계 연산
- 논리 연산

산술 연산은 연산의 결과가 **수**(number)다. 이 수는 주로 또 다른 계산에 쓰이거나 저장, 출력되는데 사용된다. **관계 및 논리 연산**은 연산의 결과가 **진리값**(즉, True 또는 False)이란 점에서 다르며 이 진리값은 주로 (나중에 학습할) 분기나 반복을 통제하는 조건으로 사용된다. 이어지는 절에서 이들 각각에 대해 자세히 설명한다.

3.1 산술 연산

산술 연산(arithmetic computation)에 사용되는 연산자들은 다음에서 보듯이 우리에게 매우 익숙한 것들이다. 맨 아래의 나머지셈은 두 수를 나눈 나머지 값을 계산한다.

- +   이름: plus, 의미: 덧셈(addition)
- −   이름: minus, 의미: 뺄셈(subtraction)
- *   이름: asterisk, 의미: 곱셈(multiplication)
- /   이름: slash, 의미: 나눗셈(division)
- %   이름: percent, 의미: 나머지셈(modulo)

산술 연산에서 알아둘게 두 가지 있다. 먼저, 정수들 사이의 연산 결과는 소수점 이하를 버린 정수며, 정수와 소수 사이의 연산 결과는 소수다. 다음, 연산자들 간의 우선순위다. 괄호가 가장 먼저 1 순위로, 그리고 나서 곱셈, 나눗셈, 나머지셈이 2 순위로, 마지막으로 덧셈과 뺄셈이 3순위로 적용된다. 동일한 우선 순위일 경우 왼쪽에서 오른쪽으로 적용된다. 다음은 위 연산자들을 사용한 산술식들의 예다. 방금 설명에 따라 이 식들의 계산 결과가 각각 점선 오른쪽에 보인 값이 될지 스스로 확인해보자.

- 7 − 2 + 1 6
- 32 % (4 + 1) 2
- 1 − 3 / 5 1
- 1 − 3.0 / 5 .... 0.4
- 1 − 3 / 5.0 .... 0.4
- 1.0 − 3.0 / 5.0 .... 0.4
- 1.0 − 3 / 5 .... 1.0

3.2 관계 연산

관계 연산 그리고 다음 절에서 설명할 논리 연산의 결과는 **진리값**이다. 다음은 **관계 연산**(relational computation)에 사용되는 연산자들을 python 표기법으로 나타낸 것이다.

- == 이름: equal to, 의미: 같다(equality)
- != 이름: not equal to, 의미: 같지 않다(inequality)
- < 이름: less than, 의미: 작다(inequality)
- <= 이름: less than or equal to, 의미: 작거나 같다(inequality)
- > 이름: greater than, 의미: 크다(inequality)
- >= 이름: greater than or equal to, 의미: 크거나 같다(inequality)

우선 순위 면에서 관계 연산은 산술 연산보다 나중에 적용된다. 즉, 4순위가 된다. 다음은 예다.

- 1 < 3 ....True
- 2 >= 7 − 1 .... False
- 11 % 5 != 1 .... False

3.3 논리 연산

다음은 **논리 연산**(logical computation)에 사용되는 연산자들을 python 표기법으로 나타낸 것이다.

- and   이름: and, 의미: 논리곱(conjuction)
- or   이름: or, 의미: 논리합(disjuction)
- not   이름: not, 의미: 논리부정(negation)

다음은 이 연산자들을 사용한 논리식들의 예다.

- True and 5 > 1 ···True
- 3 < 2 or 4 == 4 ··True
- 2 >= 7 − 1 or False ··· False
- not(11 % 5 != 1) ··True
- True or True and False ···True

논리 연산은 관계 연산보다 나중에 적용된다. 관계 연산자는 두 개 이상 연속으로 사용되지 않지만, 논리 연산자가 괄호 없이 연속으로 사용되면 not, and, or 순으로 적용된다. 즉, not이 5순위, and가 6순위, or가 7순위가 되는 것이다. 이에 따라 위 논리식 예들의 평가값을 확인해보자.

다음 진리표는 진리값들에 대한 논리 연산의 결과를 일괄적으로 보여준다.

x	y	x and y	x or y	not x
True	True	True	True	False
True	False	False	True	False
False	True	False	True	True
False	False	False	False	True

다음은 지금까지 배운 연산자 우선 순위에 대한 요약이다. **동순위 연산자**는 왼쪽이 오른쪽보다 우선한다. 마지막으로, **치환**은 모든 연산이 완료된 후 적용된다.

- **연산자 우선 순위**

```
1 순위: ( )
2 순위: * / %
3 순위: + -
4 순위: == != < <= > >=
5 순위: not
6 순위: and
7 순위: or
```

요약

- **연산**은 컴퓨터의 중앙처리장치에서 담당하며 **산술, 관계, 논리** 연산의 세 가지 유형이 있다.
- 산술 **연산의 결과**는 **수**(number)인데 반해 관계나 논리 연산의 결과는 **진리값**이다.
- 산술 연산의 계산 결과는 주로 또 다른 계산에 쓰이거나 저장, 출력되는데 사용되며 관계나 논리 연산의 계산 결과는 주로 분기나 반복을 통제하는 조건으로 사용된다.
- 여러 연산자가 동시에 사용된 식의 경우 **연산자 우선 순위**에 따라 계산된다.

예제

3-1 두 가지 단순 연산

두 가지 단순 산술 연산을 통한 연산 연습이다. 다음의 ex3-1 수행 결과 입력과 출력을 보여라.

```
1    # -*- coding: utf-8 -*-
2
3    # ex3-1 두 가지 단순 연산
4
5    ThisYear = 2016
6
7    print "한글이 창제된 해가 1443년이므로 올해로", ThisYear - 1443, "돌이 됩니다."
8
9    print "서울과 부산 사이의 거리는 약 500km이니까 시속 100km로 달리면", 500 / 100,
     "시간에 갈 수 있습니다."
```

해결

> 한글이 창제된 해가 1443년이므로 올해로 573돌이 됩니다.
>
> 서울과 부산 사이의 거리는 약 500km이니까 시속 100km로 달리면
> 5시간에 갈 수 있습니다.

3-2 육면체의 부피

적당한 프롬프트를 사용하여 육면체의 가로, 세로, 높이를 입력받아 부피를 계산하여 이를 적당한 메시지와 함께 인쇄하라(입출력 그림 참고).

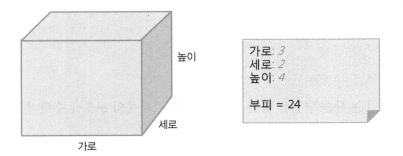

높이
세로
가로

가로: 3
세로: 2
높이: 4

부피 = 24

1. 사용자에게 프롬프트하여 가로, 세로, 높이 값들을 입력받는다.

2. 가로 * 세로 * 높이를 계산하여 부피를 구한다.

3. 계산된 부피값을 "부피 ="이라는 메시지와 함께 인쇄한다.

다음 ex3-2는 위 절차를 수행하는 프로그램이다.

```
1    # -*- coding: utf-8 -*-
2
3    # ex3-2 육면체의 부피
4
5    w = input("가로: ")
6    d = input("세로: ")
7    h = input("높이: ")
8
9    volume = w * d * h
10
11   print "부피 =", volume
```

3-3 순월수입 계산

그림에서 보듯이, 적당한 프롬프트를 사용하여 연간 총수입과 소득공제액을 입력받아 소득세를 제외한 순월수입을 계산하여 적당한 메시지와 함께 **소득세** 및 **순월수입**을 인쇄하라 – 소득세율은 20%로 전제한다.

연간 총수입: *3500*
소득공제액: *500*

소득세 600을 제외한 순월수입은 241입니다

****
연간 총수입: *5000*
소득공제액: *800*

소득세 840을 제외한 순월수입은 346입니다

1. 사용자에게 프롬프트하여 연간 총수입과 소득공제액을 입력받는다.

2. 소득세는 (연봉 − 소득공제액) * 소득세율을 계산하여 구한다.

3. 순월수입은 (연봉 − 소득세) / 12를 계산하여 구한다.

4. 구한 값들을 "소득세 XXX을 제외한 순월수입은 XXX입니다" 형식의 메시지와 함께 인쇄한다.

ex3-3은 위 절차를 수행하는 프로그램이다.

```
1   # -*- coding: utf-8 -*-
2
3   # ex3-3 순월수입 계산
4
5   i = input("연간 총수입: ")
6   d = input("소득공제액: ")
7
8   TaxRate = 20
9
10  ad = i - d
11  tax = ad * TaxRate / 100
12  ni = (i - tax) / 12
13
14  print "소득세", tax, "을 제외한 순월수입은", ni, "입니다"
```

3-4 몇 개의 관계 및 논리 연산 연습

몇 개의 단순한 관계 및 논리 연산 연습이다. 그림에서 보이는대로, 출력문만을 사용하여 질문 내용을 연산한 결과가 인쇄될 수 있도록 프로그램을 작성하라. x에 적당한 값을 저장하기 위해 추가로 치환문을 사용해도 좋다.

5는 3보다 클까요?
답: True

"black"과 "dark"는 같을까요?
답: False

9 < x 와 5 > x 둘 다 맞습니까?
답: False

9 < x 와 5 > x 둘 중 하나는 맞습니까?
답: True

2 + 1 ≥ 7은 거짓인가요?
답: True

해결

ex3-4는 이 문제를 해결한다.

```
1   # -*- coding: utf-8 -*-
2
3   # ex3-4 몇 개의 관계 및 논리 연산 연습
4
5   print "5는 3보다 클까요? "
6   print "답:", 5 > 3
7
8   print "'black'과 'dark'는 같을까요? "
9   print "답:", 'black' == 'dark'
10
11  x = 17
12
13  print "9 < x 와 5 > x 둘 다 맞습니까?"
14  print 9 < x and 5 > x
15
16  print "9 < x 와 5 > x 둘 중 하나는 맞습니까?"
17  print 9 < x or 5 > x
18
19  print "2 + 1 ≥ 7은 거짓인가요?"
20  print not 2 + 1 >= 7              # 연산 우선 순위 주의
```

과제

3-1 빈칸 채우기

1. 연산은 컴퓨터의 (   )에서 담당하며 여기에는 산술, 관계 및 논리 연산이 있다.

2. 산술 연산의 결과는 수며, 관계나 논리 연산의 결과는 (   )이다.

3. 관계 연산의 우선 순위는 산술 연산보다 (높 , 낮)으며 논리 연산보다는 (높 , 낮)다.

4. 산술식 "5 – 14 / 5 * (3 / 2.0)"의 평가값은 (   )이다.

5. 관계식 "15 % 5 ≤ 33 / 11 – 3"의 평가값은 (   )다.

6. 논리식 "2 > 5 or (5 % 2) != 1"의 평가값은 (   )다.

7. 논리식 "False or True and (False or True)"의 평가값은 (   )다.

3-2 세 과목 점수 평균

그림에서 보듯이, 적당한 프롬프트를 사용하여 영어, 수학, 국어 세 과목의 점수(100점 만점)를 차례로 입력받아 세 과목 점수의 **평균**을 구하여 이를 적당한 메시지와 함께 인쇄하는 프로그램을 작성하라(그림은 프로그램을 2회 실행한 것임).

```
영어 점수를 입력하세요: 76
수학 점수를 입력하세요: 80
국어 점수를 입력하세요: 60

세 과목의 평균은 72점입니다

**********
영어 점수를 입력하세요: 92
수학 점수를 입력하세요: 88
국어 점수를 입력하세요: 90

세 과목의 평균은 90점입니다
```

3-3 환율 계산

그림에서 보듯이, 적당한 프롬프트를 사용하여 원화 금액을 입력받아 이를 미국 달러화, 중국 위안화, 일본 엔화로 환산한 금액을 출력하는 프로그램을 작성하라 – 각 화폐에 대해 적용할 환율은 다음과 같다.

- 1달러 = 1181.50원
- 1위안 = 180.05원
- 100엔 = 970.35원

```
원화 금액을 입력하세요: 10000

10000원을 환산하면:
8.46달러
55.54위안
1030.56엔
```

3-4 1년만기 정기예금

그림에서 보듯이, 적당한 프롬프트를 사용하여 1년만기 정기예금에 예치할 금액을 묻고 1년 만기후의 **원금**, **이자** 및 **원리합계**를 계산하고 이 세 가지 값을 적당한 메시지와 함께 인쇄하는 프로그램을 작성하라 – 단, 연이율은 10%로 전제한다.

```
1년만기 정기예금에 얼마를 예치하시겠습니까? 200000

원금: 200000
이자: 20000.0
원리합계: 220000,0

**********
1년만기 정기예금에 얼마를 예치하시겠습니까? 1000000

원금: 1000000
이자: 100000.0
원리합계: 1100000.0
```

분기
– 몇 갈래로 나누어 풀기

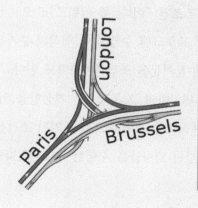

4.1 분기

아주 단순한 문제의 경우 외길 경로만을 따라 진행하여 해결해내는 경우가 꽤 많다. 하지만 문제가 복잡해짐에 따라 해결의 과정은 외길 경로를 따라가다가도 종종 갈림 길에 부닥치고 이 지점에서는 여러 갈림길 경로들 중 하나만을 택해 진행해야 하는 경우가 생긴다.

분기(branch) 명령은 방금 설명한 갈림길 상황에 적용될 수 있는 프로그램 도구로서 지금까지 배운 문제해결 도구들 가운데 가장 강력한 도구라 할 수 있다. **분기**는 문제 해결의 경로에서 나타날 수 있는 몇 가지 상호배타적인, 즉 서로 겹치지 않는 경로들 가운데 하나만을 선택해야 하는 지점에서 사용된다. 프로그램 수행 중 분기 명령을 만나면 이전까지 단선적으로 진행되던 프로그램 수행은 특정 **조건**(condition)의 성립 여부에 따라 여러 갈림길 가운데 하나를 택하여 진행하도록 강제된다. 이 조건은 **관계식** 또는 **논리식**으로 표시되며 이를 분기에 사용된 **조건식**이라 부른다.

Python에서 분기 명령, 또는 분기문은 키워드 '**if**' 로 시작되는 명령문이다. if 문은 자신의 종속절이라고 할 수 있는 elif 절들과 else 절을 포함할 수도 있다. 이어지는 절들에서 이들 각각에 대해 설명한다.

4.2 if 문

분기문의 형식은 "**if 조건:** "이다. 즉 키워드 '**if**' 오른쪽에 연계된 **조건**을 쓰고 콜론(':') 으로 마쳐야 한다. 프로그램 수행시 이 형식의 분기문에 도달하면 연계된 조건을 '평가'한다. 이 때문에 분기문을 **조건문**이라고도 한다. '평가'란 조건식에 참여하는 변수들의 현재 값들을 대입하여 그 조건식을 계산함을 의미한다(즉, 관계 또는 논리 연산을 수행한다). 관계식 또는 논리식으로 표기된 조건식을 평가한 결과가 True면, if 바로 아래에 들여쓰기된 명령들을 수행한 후 if 문 다음 명령으로 진행한다. 들여쓰기된 내부 명령문은 최소 한 개부터 여러 개일 수 있다. 만약 조건식을 평가한 결과가 False면, 내부 명령문들을 모두 건너뛰어 그 다음 명령으로 진행한다.

▪ prog4-1 if 분기문 사용예

다음의 prog4-1은 if 문의 예를 보인다. prog4-1 프로그램은 우선 프롬프트 입력을 사용하여 사용자의 학점을 요구한다(5행). 곧이어 입력된 학점을 단순문자 'A'와 비교하는 조건식을 평가하여(7행) True면 if 아래에 들여쓰기된 두 개의 명령문(8, 9행)을 수행한다. 이 가운데 첫번째 명령문에서 변수 message에 문자열 "우수!"를 저장하고(8행) 곧바로 두번째 명령문에서 출력문을 통해 저장된 문자열을 인쇄한다(9행). if 문의 수행이 완료되었으므로 그 다음 명령인 11행으로 진행하여 문자열 메시지를 인쇄하고 종료한다. 그림 4-1은 prog4-1을 두 차례 수행한 결과 나타나는 입력과 출력을 보여준다.

그림 4-2 다이어그램은 prog4-1의 내용을 도형을 사용하여 도식적으로 보인 것이다. 이런 방식으로 프로그램의 흐름을 보이는 다이어그램을 '**순서도**(flowchart)'라고 한다. 앞서 1장에서도 대략적인 형식의 다이어그램을 사용했지만 이제부터 보일 순서도는 그림 4-2에서 보는 것처럼 입력 명령을 카드 형태로, 조건식 검사 명령을 마름모꼴로, 출력 명령을 인쇄지 형태로, 일반 명령은 네모 상자로 나타내 보임으로써 좀 더 정형화되고 체계적인 형식을 취한다. 순서도에서 점선으로 크게 둘러싼 부분은 if 문의 영역을 표시한다.

```
1    # -*- coding: utf-8 -*-
2
3    # prog4-1 if 분기문사용예
4
5    grade = raw_input("학점은? ")
6
```

```
7    if grade == 'A':
8        message = "우수!"
9        print message
10
11   print "위에 아무 메시지도 보이지 않으면 우수 미만 등급입니다"
```

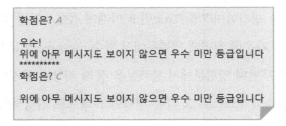

학점은? *A*

우수!
위에 아무 메시지도 보이지 않으면 우수 미만 등급입니다
****
학점은? *C*

위에 아무 메시지도 보이지 않으면 우수 미만 등급입니다

그림 4-1 prog4-1 수행 결과 입출력(2회 수행)

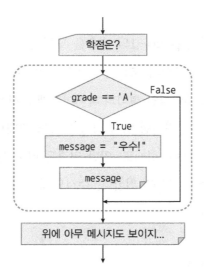

그림 4-2 prog4-1에 대한 순서도

elif 절은 if 문 속에 종속되는 것이므로 문장 구성의 하위 단계인 '절'이라고 부른다. 'elif'는 'else if'의 줄임말이다. elif 절의 표기 형식은 "**elif 조건:**"이다. if 조건식을 평가한 결과가 False인 경우, elif 절에 연계된 또 다른 조건식을 평가하여 이것이 True인 경우에 일련의 명령들을 수행하게 할 수 있다. 이때 수행할 명령의 범위는 if 문에서와 마찬가지로 키워드 elif 바로 아래에 들여쓰기로 표기한다. 이 같은 elif 절은 필요하다면 맨위의 if 아래에 여러 번 사용할 수 있다. 물론 각각의 elif 절과 연계된 각각의 조건식은 서로 다른 내용이어야 할 것이다. 어떤 elif 절의 조건식이 True로 평가되어 여기에 들여쓰기된 내부 명령들을 수행하고 나면 if 문 전체를 건너뛰어 그 다음 명령으로 진행한다.

▪ prog4-2 elif 사용예

prog4-2는 두 개의 elif 절을 거느린 if 문의 예를 보인다. 프로그램은 수행 초기에 사용자로부터 학점을 입력받는다(5행). if와 이후의 elif들은 조건식을 통해 학점이 'A', 'B', 'C' 중 어느 문자에 해당하는지 비교하여 일치하는 문자가 있으면 거기에 해당하는 메시지로 "우수!", "양호!", 또는 "보통!"이라는 문자열을 변수 message에 저장한 후 곧바로 인쇄한다(7~15행). 참고로 문자열을 변수에 저장하지 않고 print 문에서 바로 인쇄하는 것도 가능하다. 그리고 마지막으로 아무 메시지도 없는 경우에 대한 안내 메시지를 인쇄하고 종료한다(17행).

그림 4-3은 prog4-2를 세 차례의 다른 입력을 사용하여 수행한 결과를 나타내는 입력과 출력이다. 그림 4-4는 prog4-2에 대한 순서도다. 이번에도 if 문의 영역이 점선으로 크게 둘러싸여 표시되었다.

```
1   # -*- coding: utf-8 -*-
2
3   # prog4-2 elif 사용예
4
5   grade = raw_input("학점은? ")
6
7   if grade == 'A':
8       message = "우수!"
9       print message
10  elif grade == 'B':
11      message = "양호!"
12      print message
13  elif grade == 'C':
14      message = "보통!"
15      print message
16
17  print "위에 아무 메시지도 보이지 않으면 보통 미만 등급입니다"
```

```
학점은? A
우수!
위에 아무 메시지도 보이지 않으면 보통 미만 등급입니다
**********
학점은? C

보통!
위에 아무 메시지도 보이지 않으면 보통 미만 등급입니다
**********
학점은? F

위에 아무 메시지도 보이지 않으면 보통 미만 등급입니다
```

그림 4-3 prog4-2 수행 결과 입출력(3회 수행)

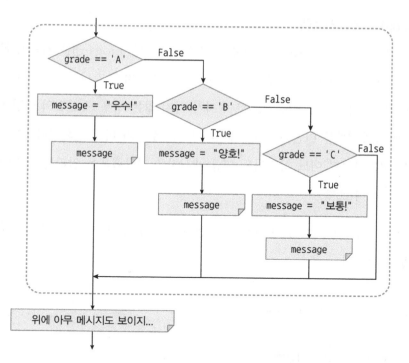

그림 4-4 prog4-2에 대한 순서도

4.4 else 절

else 절은 elif 절들과 마찬가지로 if 문 속에 종속되며 elif 절들이 끝난 이후 if 문의 맨마지막에 표기한다. 표기 형식은 "**else:**"이다. elif 절과 마찬가지로 선택적으로 사용 가능하다. 만약 else 절이 존재한다면 그 위의 if나 elif 절들과 연계된 어느 조건식 검사에서도 True가 되지 않은 "**나머지 모든 경우**"가 else 절에서 처리된다. 따라서 else 절은 자신과 연계된 조건식을 가지지 않는다. else 절에서 처리되는 경우에는 키워드 else 아래에 들여쓰기된 명령들이 수행된다. 그러고 나면 if 문을 완전히 종료한 것이 되어 다음 명령으로 진행하게 된다.

■ prog4-3 else 사용예

다음의 prog4-3은 else 절이 사용된 예를 보여준다. prog4-3은 처음에 학점을 입력
받아(5행), if와 elif들이 조건식들을 통해 입력된 문자를 검사하고 처리한다(7, 10, 13
행). 이 중 어느 경우에도 True로 평가가 나지 않는 경우 else 절의 명령들이 수행된
다. 이 경우 "보통 미만!"이라는 메시지를 저장했다가 바로 인쇄한다(17, 18행). 그리
고는 마지막으로 어느 학점이든 해당 메시지를 전달했음을 알리는 문자열을 인쇄하
고 종료한다(20행).

그림 4-5는 프로그램의 세 차례 수행 결과 입출력을, 그림4-6은 프로그램에 대한 순
서도를 보인다.

```
1    # -*- coding: utf-8 -*-
2
3    # prog4-3 else 사용예
4
5    grade = raw_input("학점은? ")
6
7    if grade == 'A':
8        message = "우수!"
9        print message
10   elif grade == 'B':
11       message = "양호!"
12       print message
13   elif grade == 'C':
14       message = "보통!"
15       print message
16   else:
17       message = "보통 미만!"
18       print message
19
20   print "누구에게나 메시지를 전달했습니다"
```

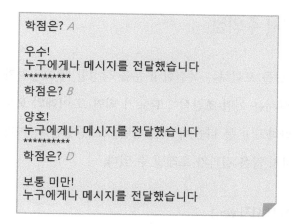

학점은? *A*

우수!
누구에게나 메시지를 전달했습니다
****
학점은? *B*

양호!
누구에게나 메시지를 전달했습니다
****
학점은? *D*

보통 미만!
누구에게나 메시지를 전달했습니다

그림 4-5 prog4-3 수행 결과 입출력(3회 수행)

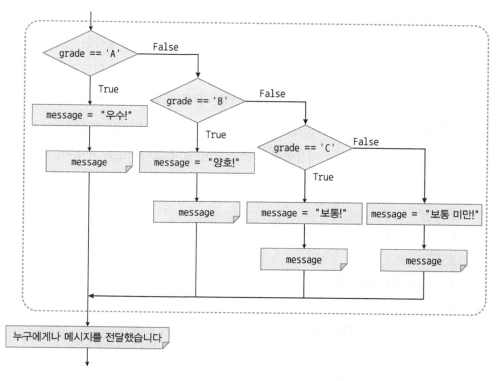

그림 4-6 prog4-3에 대한 순서도

4.5 분기문 사용시 주의점

elif 절과 else 절을 포함하는 복잡한 if 문을 작성할 때 초심자가 실수하기 쉬운 부분이 있다. if 문에서는 어떤 조건식이 True가 되면 그 아래의 모든 조건식들에 대한 검사 자체를 생략하고 if 문 다음에 오는 명령으로 진행한다. 여기에 대한 이해가 부족한 경우 의도하지 않은 결과가 초래될 수 있다.

▪ prog4-4 축하 메시지 ver.1

다음에 보인 prog4-4가 좋은 예다. 이 프로그램은 나이를 입력하면 성년, 장년, 중년으로 구분하여 나이에 따른 축하 메시지를 인쇄하고자 의도한 것이다. 만약 입력한 나이가 35면 어떤 메시지가 인쇄될까? 아마 이 프로그램의 작성자는 나이가 35인 경우 성년이 됨을 때늦게 축하하기 보다는 장년임을 축하하기를 원했을 것이다. 하지만 실제로 prog4-4를 수행해보면 나이 35인 경우 장년이 아닌 성년 축하 메시지를 인쇄한다. 그 이유는 나이 35는 30 이상이라는 조건과도 맞지만(9행) 19 이상이라는 조건과도 맞는데(7행) 19 이상이라는 조건식이 먼저 검사되도록 if 문이 작성되었기 때문이다.

```
1    # -*- coding: utf-8 -*-
2
3    # prog4-4 축하 메시지          ver.1
4
5    age = input("나이가 몇입니까? ")
6
7    if age >= 19:
8        print "성년 축하!"
9    elif age >= 30:
10       print "장년 축하!"
11   elif age >= 40:
12       print "중년 축하!"
```

```
13  else:
14      print "미성년입니다"
```

▪ prog4-5 축하 메시지 ver.2

prog4-5는 prog4-4의 논리적 오류를 수정한 버전이다. 여기서는 조건식들의 순서
가 올바르게 배치되어 입력받은 나이에 걸맞는 축하 메시지가 인쇄된다.

```
1   # -*- coding: utf-8 -*-
2
3   # prog4-5 축하 메시지              ver.2
4
5   age = input("나이가 몇입니까? ")
6
7   if age >= 40:
8       print "중년 축하!"
9   elif age >= 30:
10      print "장년 축하!"
11  elif age >= 19:
12      print "성년 축하!"
13  else:
14      print "미성년입니다"
```

이와 같은 실수 외에도 프로그램 작성 과정에서 if 문에서 else 절이 반드시 필요한 경
우인데도 이를 빠뜨린다던가, 실수로 부등호를 잘못 넣기가 쉽다(예: '<='으로 해야
할 것을 '<'으로 하는 것 등). 그 결과 프로그램 수행시 생각지도 못한 오류가 발생하
는 일이 자주 있다. 가끔은 이와 같은 논리적 오류를 발견하는 것 자체가 쉽지 않아
이것을 찾아내는데 많은 시간을 허비하는 경우도 생긴다. 이를 피하기 위해서는 if 문
작성 초기부터 다양한 범위의 데이터를 사용한 테스트 수행을 통해 오류에 대한 사
전 점검을 철저히 하는 것이 최선이다.

요약

- **분기**는 문제해결의 진행 과정에서 나타날 수 있는 갈림길에서 하나만을 선택하는 상황을 말한다.
- 프로그램 수행 중 키워드 if로 표기된 분기문을 만나면 **if 문**과 연계된 특정 **조건**을 평가하고 그 결과에 따라 분기한다. 이 조건은 관계식이나 논리식으로 표기된다.
- 조건식을 평가한 결과가 True면 if에 들여쓰기된 내부 명령들을 차례로 수행하고 나서 if 문 다음 명령으로 진행한다. 반대로 평가 결과가 False면 이들을 수행하지 않고 if 문 다음 명령으로 바로 진행한다.
- if 문에 **elif 절**이 존재할 경우는 앞서 if 문에 연계된 조건식이 실패하더라도 이 절에 연계된 조건식을 평가하여 True면 이 절에 들여쓰기된 내부 명령을 수행한다.
- if 문에 **else 절**이 존재할 경우는 앞서의 모든 if 나 elif에 연계된 조건식이 실패하면 이 절의 내부 명령들을 수행한다.

예제

4-1 생년월일로부터 만나이 계산

1장에서 대략적으로만 다루었던 문제다. 그림에서 보듯이 사용자에게 이름, 생년, 생일을 각각 네 자리수로 입력받아 만나이를 계산하는 프로그램을 작성하라. 시스템 내부에 정의된 상수 ThisYear는 올해 년도를, Today는 오늘 날짜를 저장하고 있다고 전제하고 필요할 경우 이들을 사용해도 좋다.

이름, 생년, 생일(네 자리 수)을 입력하세요
이름: *허니*
생년: *1983*
생일: *0630*

허니 님의 만나이는 32세입니다

****
이름, 생년, 생일(네 자리 수)을 입력하세요
이름: *콩예*
생년: *1986*
생일: *0402*

콩예 님의 만나이는 29세입니다

1. 사용자가 입력한 생년과 생일을 두 개의 변수에 각각 저장한 후

2. 올해 년도에서 생년을 빼 나이를 구하고

3. 오늘이 아직 생일 전이면 나이에서 1을 뺀다.

4. 최종 나이를 인쇄한다.

다음의 ex4-1은 위 해결 절차를 수행하는 프로그램이다. 여기서 주목할 것이 있다. 생일 앞 자리에 0이 있을 경우 input 명령으로 입력하면 8진수로 오해받게 된다. 따라서 raw_input 명령으로 입력해야 하는데 그러면 문자열로 저장하기 때문에 15행의 관계 연산을 수행할 때 오류를 일으키게 된다. 이에 대한 해결책으로, 11행에서 int 함수를 사용해서 raw_input으로 입력된 문자열을 정수(integer)로 변환하여 mmdd 변수에 저장한다. '함수'에 대해서는 다음 장에서 상세히 설명하므로 지금은 이 정도로만 넘어가자.

```
1   # -*- coding: utf-8 -*-

2

3   # ex4-1 생년월일로부터 만나이 계산

4

5   ThisYear = 2016

6   Today = 330

7

8   print "이름, 생년, 생일(네 자리 수)을 입력하세요"

9   name = raw_input("이름: ")

10  yyyy = input("생년: ")

11  mmdd = int(raw_input("생일: "))

12

13  age = ThisYear - yyyy

14

15  if mmdd > Today:                    # 아직 생일 전이면
```

```
16          age = age - 1                          # 나이를 하나 뺀다
17
18    print name, "님의 만나이는", age, "세입니다"
```

4-2 고혈압/당뇨 판정

 그림에서처럼, 적당한 프롬프트를 통해 혈압수치와 혈당수치를 입력받아 고혈압인지, 저혈압인지, 당뇨병인지를 판정하여 적당한 메시지와 함께 인쇄하는 프로그램을 작성하라. 문제를 단순화하기 위해 혈압수치 140 초과는 고혈압, 90 미만은 저혈압, 혈당수치 120 초과는 당뇨병으로 규정하기로 한다. 참고로, 혈압 질환과 당뇨병을 동시에 가지는 환자는 있을 수 있지만 고혈압과 저혈압을 동시에 가질 수는 없다.

```
혈압수치: 116
혈당수치: 105

**********
혈압수치: 170
혈당수치: 148

의심되는 질환:
고혈압
당뇨병
```

해결

1. 사용자에게 프롬프트하여 혈압수치와 혈당수치를 입력받는다.
2. 고혈압, 저혈압, 당뇨병인지 판정하여 결과를 적당한 메시지와 함께 인쇄한다.

위의 해결 절차를 두 가지 버전으로 작성해본다. ex4-2-1은 첫번째 버전으로써 두 개의 분기 명령을 통해 고혈압, 저혈압, 당뇨병 판정 결과를 각각의 변수에 일단 저장한 후(8~19행), 이 변수 값들을 조회하여 질환을 출력한다(24~29행).

```
1   # -*- coding: utf-8 -*-
2
3   # ex4-2-1 고혈압/당뇨병 판정    ver.1
4
5   bp = input("혈압수치: ")
6   bs = input("혈당수치: ")
7
8   hyper = False
9   hypo = False
10
11  if bp > 140:
12      hyper = True
13  elif bp < 90:
14      hypo = True
15
16  diabete = False
17
18  if bs > 120:
19      diabete = True
20
21  if hyper or hypo or diabete:
22      print "의심되는 질환:"
23
24      if hyper:
25          print "고혈압"
26      if hypo:
27          print "저혈압"
28      if diabete:
29          print "당뇨병"
```

ex4-2-2는 두번째 버전이다. 이 버전은 위 두 개의 분기 명령을 세 개의 관계 연산으로 대체하고 이 연산의 결과를 각각의 변수에 저장한 후(8~10행) 첫번째 버전과 마찬가지로 이 변수 값들을 조회하여 질환을 출력한다(15~20행). 두 버전이 동일한 작업 내용을 수행하지만 여러 개의 분기문들이 사라진 덕에 두번째 버전의 코드가 대폭 단순화된 것을 알 수 있다.

```
1    # -*- coding: utf-8 -*-
2
3    # ex4-2-2 고혈압/당뇨병 판정    ver.2
4
5    bp = input("혈압수치: ")
6    bs = input("혈당수치: ")
7
8    hyper = bp > 140
9    hypo = bp < 90
10   diabete = bs > 120
11
12   if hyper or hypo or diabete:
13       print "의심되는 질환:"
14
15       if hyper:
16           print "고혈압"
17       if hypo:
18           print "저혈압"
19       if diabete:
20           print "당뇨병"
```

4-3 채식주의자 판별

적당한 질문을 통해 채식주의자인지 판별하여 이를 적당한 메시지와 함께 인쇄하는 프로그램을 작성하라. 고기와 생선 둘 다 좋아하지 않으면 채식주의자인 것으로 전제한다.

해결

1. 사용자에게 고기와 생선을 좋아하는지 각각 묻는다.
2. 고기나 생선 둘 다 좋아하지 않는다고 답하면 채식주의자로 결정하고 적당한 메시지와 함께 인쇄한다.

이번 예제는 몇 가지 학습 포인트를 강조하기 위해 세 가지 버전의 프로그램 해법을 제시한다. 첫번째 버전은 다음 ex4-3-1에 주어졌다.

```
1   # -*- coding: utf-8 -*-
2
3   # ex4-3-1 채식주의자 판별                  ver.1
4
5   meat = raw_input("고기를 좋아하세요? ")
6   fish = raw_input("생선을 좋아하세요? ")
7
8   veg = meat == "yes" or fish == "yes"
9
10  if veg:
11      print "당신은 채식주의자가 아닙니다"
12  else:
13      print "당신은 채식주의자입니다"
```

첫번째 버전은 진리값 변수 veg를 사용한다. 육식을 하면 veg에 True를, 그렇지 않으면 False를 저장하여(8행) 이 값이 뭐냐에 따라 상이한 메시지를 인쇄한다. 이처럼 veg 변수를 반드시 사용해야 할까? 이어지는 두번째 버전은 변수 veg를 사용하지 않고도 동일한 내용을 수행할 수 있음을 보인다.

```
1   # -*- coding: utf-8 -*-
2
3   # ex4-3-2 채식주의자 판별              ver.2
4
5   meat = raw_input("고기를 좋아하세요? ")
6   fish = raw_input("생선을 좋아하세요? ")
7
8   if meat == "yes" or fish == "yes":
9       print "당신은 채식주의자가 아닙니다"
10  else:
11      print "당신은 채식주의자입니다"
```

다음 그림은 두번째 버전의 수행 결과 입출력을 보인다.

```
고기를 좋아하세요? no
생선을 좋아하세요? no

당신은 채식주의자입니다

**********
고기를 좋아하세요? yes
생선을 좋아하세요? no

당신은 채식주의자가 아닙니다
```

그런데 위 그림에 보인 두 차례 수행예를 자세히 보면 두번째 수행에서 고기를 좋아한
다고 답했음에도 불구하고 생선을 좋아하느냐고 묻는다. 문제에서 고기를 좋아하면
이미 채식주의자가 아닌걸로 하라고 했었으니 생선을 좋아하느냐는 추가 질문은 불필
요한 것이 된다. 따라서 이를 정확히 반영하도록 수정한 것이 다음 세번째 버전이다.

```
1   # -*- coding: utf-8 -*-
2
3   # ex4-3-3 채식주의자판별                    ver.3
4
5   meat = raw_input("고기를 좋아하세요? ")
6
7   if meat == "yes":
8       print "당신은 채식주의자가 아닙니다"
9   else:
10      fish = raw_input("생선을 좋아하세요? ")
11
12      if fish == "yes":
13          print "당신은 채식주의자가 아닙니다"
14       else:
15          print "당신은 채식주의자입니다"
```

다음 그림은 마지막 버전의 수행 결과 입출력이다. 여기서는 고기를 좋아한다고 답하면 추가 질문 없이 바로 채식주자가 아니라고 인쇄한다.

고기를 좋아하세요? *yes*

당신은 채식주의자가 아닙니다

****
고기를 좋아하세요? *no*
생선을 좋아하세요? *yes*

당신은 채식주의자가 아닙니다

****
고기를 좋아하세요? *no*
생선을 좋아하세요? *no*

당신은 채식주의자입니다

4-4 국제심판

국제 리듬체조대회에서 한 선수가 한 종목의 경기를 마치는 즉시 다섯 명의 국제심판이 0~10 사이의 수로 채점한 점수를 각각 입력한다. 이 가운데 최고점과 최저점을 제외한 세 개의 점수만을 평균내어 그 선수의 최종 점수로 발표한다. 그림에서처럼 적당한 프롬프트를 통해 다섯 심판의 점수를 입력받아 위와 같이 계산한 최종점수를 적당한 메시지와 함께 인쇄하는 프로그램을 작성하라.

 주의

둘 이상의 심판이 최고점(또는 최저점)을 주었더라도 그 가운데 하나만 제외시킨다.

```
다섯 심판의 점수는?
9.5
8.0
8.5
9.0
9.5

최종점수: 9.0
```

해결

1. 다섯 심판의 점수를 입력받아 다섯 개의 변수에 각각 저장한다.
2. 다섯 점수 중 최고점과 최저점을 구한다.
3. 다섯 점수의 총합에서 최고점과 최저점을 빼고 3으로 나누어 평균 점수를 구한 다음 적당한 메시지와 함께 인쇄한다.

다음 ex4-4는 위의 절차를 수행하는 프로그램이다. 프로그램은 우선 첫번째 심판의 점수 r1을 최대값인 동시에 최소값으로 설정한 후(12행), 이어지는 분기문에서 나머지 네 개의 점수와 비교하면서 최대값과 최소값을 재설정한다(14~32행). 그리고 맨 마지막에 다섯 점수의 합에서 최대값과 최소값을 빼고 3으로 나누어 평균을 구한다(34행).

```
1    # -*- coding: utf-8 -*-
2
3    # ex4-4 국제심판
4
5    print "다섯 심판의 점수는?"
6    r1 = input()
7    r2 = input()
8    r3 = input()
9    r4 = input()
10   r5 = input()
11
12   max = min = r1
13
14   if r2 > max:
15       max = r2
16   elif r2 < min:
17       min = r2
18
19   if r3 > max:
20       max = r3
21   elif r3 < min:
22       min = r3
23
24   if r4 > max:
25       max = r4
26   elif r4 < min:
27       min = r4
28
29   if r5 > max:
30       max = r5
31   elif r5 < min:
```

```
32      min = r5
33
34  print "최종점수:", (r1 + r2 + r3 + r4 + r5 - max - min) / 3
```

4-5 네 자리 수 암호 검증

그림에서 보듯이, 적당한 프롬프트를 사용하여 사용자가 원하는 네 자리 수 암호를
입력받아 네 자리 가운데 둘 이상의 겹치는 수가 있거나, 네 자리 수가 하나씩 증가
하거나, 하나씩 감소하는 경우 적당한 메시지와 함께 입력된 암호를 거절하고 그렇지
않으면 받아들이는 프로그램을 작성하라.

> ⚠ 주의
>
> 맨 앞에 0이 있을 수 있으므로 문자열로 입력한다.

```
사용하고자 하는 암호를 입력하세요: 5317

사용할 수 있는 암호입니다

**********
사용하고자 하는 암호를 입력하세요: 8404

사용할 수 없는 암호입니다

**********
사용하고자 하는 암호를 입력하세요: 3456

사용할 수 없는 암호입니다
**********
사용하고자 하는 암호를 입력하세요: 0471

사용할 수 있는 암호입니다
```

> 해결

1. 네 자리수 암호를 입력받는다.

2. 첫째부터 마지막 자리까지의 네 개 숫자를 각각 따로 구분해낸다.

3. 네 개의 숫자 가운데 중복이 있는지 검사한다.

4. 네 개의 숫자가 하나씩 증가하는 순서로 배치되어 있는지 검사한다.

5. 네 개의 숫자가 하나씩 감소하는 순서로 배치되어 있는지 검사한다.

6. 암호에 오류가 발견되면 "사용할 수 없는 암호입니다"라는 메시지를 인쇄하여 거절한다.

7. 아무 오류가 없는 암호인 경우 "사용할 수 있는 암호입니다"라는 메시지를 인쇄한다.

ex4-5는 위의 절차를 수행하는 프로그램이다. 5행에서 raw_input으로 입력한 즉시 int를 사용하여 정수로 변환하는 것에 주목하자. 이렇게 하지 않고 처음부터 input을 사용하여 정수로 읽어들이면 0으로 시작하는 암호인 경우 8진수로 인식되므로 별도 처리해야 해서 프로그램이 복잡해진다. 그리고 7~10행은 각 자리 수에 대한 처리가 유사하다는 점을 강조하기 위해 통일적인 형태로 작성했지만, 실상 7행은 "p1 ← passwd/1000"으로, 10행은 "p4 ← passwd % 10"으로 간단하게 작성하는 것이 더 효율적이다.

12행에 보인 goodPasswd 진리값 변수를 True로 초기화하는 명령은 이와 같은 프로그램을 작성할 때 흔히 사용하는 테크닉이다. 이 테크닉은 초기에 일단 "사용가능한 암호"라고 가정하고 시작하고(12행),이후의 검사결과 사용 가능하지 않다는 것이 판명될 때만 이를 False로 재설정하는 방식이다(15, 17, 19행). 이렇게 하면 프로그램 작성이 용이해지는 이점이 있다.

```
1    # -*- coding: utf-8 -*-
2
3    # ex4-5 네 자리 수 암호 검증
4
5    passwd = int(raw_input("사용하고자 하는 암호를 입력하세요: "))
6
7    p1 = (passwd / 1000) % 10        # 첫번째 숫자 뽑아내기
8    p2 = (passwd / 100) % 10         # 두번째 숫자 뽑아내기
9    p3 = (passwd / 10) % 10          # 세번째 숫자 뽑아내기
10   p4 = (passwd / 1) % 10           # 네번째 숫자 뽑아내기
```

```
11
12    goodPasswd = True
13
14    if p1 == p2 or p1 == p3 or p1 == p4 or p2 == p3 or p2 == p4 or p3 == p4:
15        goodPasswd = False
16    elif p1 + 1 == p2 and p2 + 1 == p3 and p3 + 1 == p4:
17        goodPasswd = False
18    elif p1 - 1 == p2 and p2 - 1 == p3 and p3 - 1 == p4:
19        goodPasswd = False
20
21    if goodPasswd:
22        print "사용할 수 있는 암호입니다"
23    else:
24        print "사용할 수 없는 암호입니다"
```

과제

4-1 빈칸 채우기

1. 분기문에서 조건은 (   )식 또는 (   )식으로 표기되며 이를 분기에 사용된 조건식이라고 말한다.

2. if 문의 조건식이 Ture로 평가되면 키워드 if 아래에 (들여쓰기 , 내어쓰기)된 내부 명령들을 수행하며 False로 평가되면 이 명령들을 수행하지 않고 다음 명령으로 진행한다.

3. if 문의 조건식이 (True , False)로 평가되더라도 elif 절의 조건식이 (True , False)로 평가되면 elif 절의 내부 명령들을 수행한다.

4. (   )절의 사용은 선택적이며 만약 사용될 경우 위의 if 문과 elif 절의 조건식이 모두 (True , False)로 평가된 경우에 이 절의 내부 명령들이 수행된다.

4-2 교양음악 Pass/Fail 판정

S 대학의 교양음악 강좌는 최종학점을 Pass/Fail로 부여한다. 중간고사 점수와 기말고사 점수(100점 만점)를 40:60 비중으로 합산하여 최종 평균 점수(100점 만점)를 계산하고 이 점수가 60점 이상이면 Pass, 아니면 Fail을 부여한다. 그림에서 보듯이, 적당한 프롬프트를 사용하여 한 수강생의 중간고사 점수와 기말고사 점수를 입력받아 최종 평균 점수를 계산하고 이로부터 적당한 메시지와 함께 Pass 또는 Fail을 인쇄하는 프로그램을 작성하라.

```
중간고사 점수: 85
기말고사 점수: 90

교양음악의 최종학점은 Pass입니다
**********
중간고사 점수: 70
기말고사 점수: 52

교양음악의 최종학점은 Fail입니다
```

4-3 현금인출기

현금인출기에 쓰일 프로그램을 작성하라. 그림에서 보듯이, 우선 얼마를 인출하겠느냐는 프롬프트를 통해 인출 희망금액을 입력받아야 한다. 그런 다음, 인출 희망금액이 잔액보다 많을 경우 잔고부족 사실을, 그렇지 않으면 희망하는 인출이 진행된 이후 새로운 잔액이 얼마가 될지를, 적당한 메시지와 함께 보여야 한다. 단, 인출전 현재 잔액은 시스템 상수 Balance에 저장되어 있다고 전제한다.

```
얼마를 인출하시겠습니까: 70000

인출이 진행될 경우 잔액이 30000원 남게 됩니다.
계속 진행하시겠습니까?

**********
얼마를 인출하시겠습니까: 120000

잔액이 부족합니다
```

4-4 거스름돈 계산

편의점에서 물건을 사고 돈을 내면 거스름돈을 계산해주는 프로그램을 작성하라. 예를 들어 12000원어치 물건을 사고 50000원짜리를 내면 거스름돈 38000원은 10000원짜리 3장, 5000원짜리 1장, 1000원짜리 3장으로 치뤄질 수 있다. 프로그램은 프롬프트를 통해 **물건값**과 **받은 돈**을 입력받아 이같은 방식으로 **거스름돈**을 계산하여 인쇄해야 한다. 단, 모든 물건 값의 최하 단위는 1000원 단위라고 전제하라. 즉, 지폐만으로 거스름돈 계산이 가능하다.

```
물건 값? 15000
받은 돈? 20000

다음과 같이 거슬러주세요:
5000 x 1

**********
물건 값? 12000
받은 돈? 50000

다음과 같이 거슬러주세요:
10000 x 3
5000 x 1
1000 x 3
```

파이선으로 쉽게 배우는 **기초 프로그래밍**

함수
– 프로그램을 부품화하기

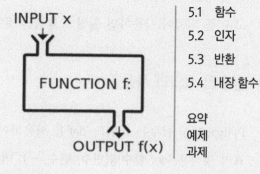

INPUT x

FUNCTION f:

OUTPUT f(x)

5.1 함수

우리 몸의 소화계, 혈관계, 신경계 등의 계통은 각각 몸의 다른 부분과 구분되는 나름의 독립된 작업 목표와 체계를 가지고 있다. 만약 이 계통들이 몸의 다른 부분들과 아무 구분없이 마구 뒤섞여 있다고 상상해보자. 건강관리나 병치료 면에서 매우 불편하고 비효율적일 것이다.

프로그램도 마찬가지다. 프로그램은 명령문들의 나열로 볼 수 있다. 이 명령문들 가운데 일부 연속적인 부분은 작업 내용면에서 여타 명령문들의 작업 내용과는 구분되는 성격을 가질 때가 종종 있다. 마치 '부품'과 같은 이 부분을 프로그램에서 물리적으로 떼어내어 별도로 이름 붙인 블록으로 독립시켜 관리하고 떼어낸 곳에는 이 블록의 이름을 넣어 두면 프로그램의 전체성은 그대로 유지되면서 관리나 유지보수면에서 편하고 효율이 높아진다.

이 같은 개념을 실현하는 것이 이 장에서 배울 '**함수**'다. **함수**(function)는 위에 말한 대로 작업 내용상 또는 논리상 독립적인 명령문 블록을 말하며 이들은 프로그램이 추구하는 전체 문제해결 과정에서 마치 논리적 부품처럼, 별도 관리 가능한 명령 절차들을 수행하게 된다. 이것이 함수를 사용하는 첫번째 이유다.

함수를 사용하는 두번째 중요한 이유가 있다. 재활용도가 높은 명령문 블록, 즉 전체 프로그램 수행 과정에서 자주 되풀이 수행되는 명령 절차들을 함수로 만들어 사용하는 것이다. 만약 여러 번 되풀이되는 작업을 함수 없이 작성한다면, 같거나 거의 비슷한 명령문 블록을 중복 작성해야 하기 때문에 비효율적이다. 한 개의 함수를 작성하고 이를 되풀이 사용하면 훨씬 효율적인 것이다.

5.1.1 함수의 정의와 사용

Python에서 함수는 키워드 '**def**'을 사용하여 정의한다. 'def'은 'define'의 줄임말이다. 표기 형식은 "**def 함수명(변수, 변수, …):**"이다. 즉, '**def**' 바로 옆에 **함수명**을 식별자로 쓰고 **괄호** 속에 **쉼표**로 분리된 **변수**들을 쓴 다음 **콜론**으로 마친다. **변수**가 전혀 없을 수도 있는데 이 경우 빈 괄호만 표기한다. 그 아래에 들여쓰기로 함수의 내용인 명령 문 블록을 작성한다.

▪ prog5-1 함수 정의와 사용예

다음 prog5-1은 함수 정의 예를 보인다. 전체 프로그램 가운데 5행에서 6행까지 함수 정의다. 프로그램에서 함수를 제외한 나머지 부분을 **주프로그램**(main program)이라 한다. 따라서 이 프로그램에서 주프로그램은 8행에서 12행으로 이어진다. 5행의 함수명 'greet' 바로 오른쪽의 빈 괄호 쌍은 이 함수에게는 아무 변수가 없다는 의미다. 변수가 있는 함수들의 경우 이 변수들이 무엇을 의미하는지는 이어지는 절에서 설명한다. 바로 아래 6행에는 명령문 블록이 들여쓰기로 한 라인 작성되어 있다. 6행 아래로는 들여쓰기가 계속되지 않으므로 greet 함수의 정의는 6행으로 완료된 것을 알 수 있다.

```
1   # -*- coding: utf-8 -*-
2
3   # prog5-1 함수 정의와 사용예
4
5   def greet():
6       print "Good, Morning!"
7
8   print "안녕하세요"
9
10  greet()
11
12  print "안녕히 가세요"
```

함수는 프로그램 내부 아무 곳에서나 앞서 정의된 함수명을 '호출(call)'함으로써 사용된다. prog5-1에 보면 주프로그램의 10행에서 앞서 정의된 greet 함수를 호출한다.

이제 함수 정의가 포함된 프로그램의 수행 절차에 대해 설명하기로 한다. 모든 프로그램 수행은 주프로그램의 첫 명령문에서 시작하여 마지막 명령문까지 차례로 진행한다. 중간에 함수 호출을 만나면 해당 함수로 이동하여 함수 내부의 명령문들을 수행하고 함수 수행이 종료되면 호출했던 위치로 돌아와 호출 이후 명령부터 계속 진행한다.

prog5-1을 예로 들면 전체 프로그램 수행의 시작점은 주프로그램의 첫번째 명령문인 8행이다. 다음 명령문은 10행인데 여기서 greet 함수를 호출하므로 함수 속의 첫 명령문인 6행으로 이동하여 진행한다. 6행 수행 후 더 이상의 명령이 없으므로 호출했던 위치인 10행으로 돌아간다. 그 위치에는 호출 말고는 더 이상의 명령이 없으므로 바로 다음 명령문인 12행을 수행한다. 그리고는 전체 프로그램을 종료한다. 그림 5-1은 prog5-1 수행 결과 입출력을 보인다.

안녕하세요
Good Morning!
안녕히 가세요

그림 5-1 prog5-1 수행 결과 입출력

앞서 함수를 사용하는 두 가지 목적을 설명했는데 이 목적에 부합하는 두 개의 간단한 함수예를 살펴보자.

▪ prog5-2 함수예
함수를 사용하는 첫번째 목적으로, 작업 내용상 독립적인 명령문 집단을 분리해 내어 함수로 정의하는 예다. prog5-2는 현금인출 거래를 시작하면서 고객에게 환영 인사를 건네는 프로그램이다. 환영 인사 이후의 진행은 주석 처리하여 생략되었다(10행). 그림 5-2는 prog5-2가 수행되면 나타나는 입출력이다(이 프로그램의 경우 출력만 있다). 이런 예 외에도 희망금액 인출 후 거래명세서가 필요하냐고 묻는 부분도 별도 독립 함수로 정의할 수 있는 또 다른 예로 들 수 있다.

```
1   # -*- coding: utf-8 -*-
2
3   # prog5-2 함수예
4
5   def welcome():
6       print "어서 오세요!"
7
8   welcome()
9
10  # 이후 진행
```

어서 오세요!

그림 5-2 prog5-2 수행 결과 입출력

prog5-3 함수 정의와 사용예

함수를 사용하는 두번째 목적으로, 재활용도가 높은 명령문 집단을 함수로 정의함으로써 중복 코딩을 피한다고 했었다. prog5-3은 희망 인출금액에 비해 잔고가 부족한 경우 잔고 부족을 알리는 프로그램이다. 여러 번 되풀이 입력된 희망 인출금액에 대해 잔고 부족 메시지를 되풀이해서 알려야 할 수도 있기 때문에 이 부분을 함수로 정의하면 그때마다 재사용할 수 있다. 잔고 부족을 알리는 시점의 이전과 이후의 진행 내용은 주석 처리로 생략되었다(8, 12행). 그림 5-3은 prog5-3이 수행되면 나타나는 입출력이다. 이런 예 외에도 현금인출 거래 중 고객의 현금카드를 다시 잘 넣어 달라고 요청하는 부분도 수차례 되풀이해야 할 수도 있기 때문에 별도 독립 함수로 정의할 수 있는 또 다른 예다.

```
1    # -*- coding: utf-8 -*-
2
3    # prog5-3 함수예
4
5    def insufficient():
6        print "잔고가 부족합니다"
7
8    # 이전진행
9
10   insufficient()
11
12   # 이후진행
```

잔고가 부족합니다

그림 5-3 prog5-3 수행 결과 입출력

5.2 인자

지금까지 예시한 함수들은 호출될 때마다 매번 동일한 작업을 수행하게 되지만 그렇게만 되서는 함수 사용의 이점이 줄어든다. 호출될 때마다 수행할 내용을 조금씩 달리 할 수 있다면 더욱 유리한 경우가 많기 때문이다. 예를 들어 누구에게 쇼핑 심부름을 여러 번 보낼 수 있는 경우 보낼 때마다 똑같은 것만 시켜야 한다면 심부름시키는 이점이 줄어들 것이다. 심부름이란 큰 틀에서는 동일하지만 쪽지 같은 것을 통해 심부름의 내용을 그때마다 달리 할 수 있다면 시키는 입장에서 훨씬 유리할 것이다. 어떤 때는 음료수를, 다른 때는 과일류를 사오라고 부탁할 수 있기 때문이다.

심부름 예와 마찬가지로, 함수는 호출할 때마다 완전히 동일한 내용만 수행시키는 것이 아니라 조금씩 내용을 달리 하여 작업을 수행시킬 수 있다. 호출 때마다 달라지는 내용을 구체적으로 전달할 수 있어야 하는데 이를 **'인자'**라고 한다. 심부름에서의 쪽지에 해당한다.

인자(argument)는 함수 호출시 함수의 작업 수행에 필요한 데이터를 전달한다. 인자는 함수명 바로 오른쪽의 괄호 쌍 속에 정의된다. 인자는 변수들로 구성되며 인자가 여러 개인 경우 쉼표로 분리한다. 함수를 호출할 때는 인자 개수만큼의 값을 전달해야 한다.

다시 심부름을 예로 들면 쪽지에 해당하는 인자에는 두 가지 변수가 포함될 수 있다. 바로 물품명을 뜻하는 goods와 개수를 뜻하는 count다. 이 심부름 함수를 호출할 때는 두 변수 각각에 대해 값을 전달해야 한다. 예를 들어 goods에 '콜라'를, count에 '2'를 전달한다면 이번 심부름 호출에서는 콜라 두 캔을 사오라는 뜻이 된다. 그림 5-4는 방금 설명한 내용을 도식적으로 표현한다.

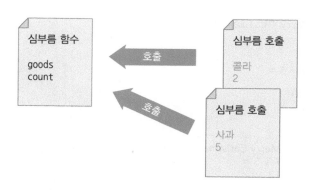

그림 5-4 심부름 호출에서의 쪽지 = 함수 호출에서의 인자

▪ prog5-4 인자를 전달하는 함수예

prog5-4는 인자를 전달하는 함수의 예다. 여기서 greet 함수는 message라는 변수 하나를 인자로 가지도록(5행), 그리고 plus 함수는 x, y 두 개의 변수를 인자로 가지도록 각각 정의되어 있다(8행). 주프로그램은 "Merry Christmas!"를 인쇄하기 위해 이 문자열을 greet 함수의 인자 message가 사용할 값으로 전달하여 호출한다(11행). greet 함수가 message에 전달된 문자열 값을 인쇄한 후 호출에서 돌아 오면 "7 + 5

="을 인쇄하고(13행) plus 함수를 호출한다(14행). 이때 7과 5를 x와 y 인자에게 차례로 전달한다. plus 함수가 이 값들을 사용하여 12를 인쇄하면 전체 프로그램이 종료된다. 그림 5-5는 prog5-4의 수행 결과 입출력이다.

```
1    # -*- coding: utf-8 -*-
2
3    # prog5-4 인자를 전달하는 함수예
4
5    def greet(message):
6        print message
7
8    def plus(x, y):
9        print x + y
10
11   greet("Merry Christmas!")
12
13   print "7 + 5 = "
14   plus(7, 5)
```

```
Merry Christmas!
7 + 5 =
12
```

그림 5-5 prog5-4 수행 결과 입출력

5.2.1 인자 정의와 전달에 주의할 점

인자가 없는 함수의 경우 괄호 쌍 속을 비워서 정의한다. 반면 인자를 사용한 함수 호출에서는 중요한 것이 있다. 함수를 호출할 때는 정확히 함수에 정의된 인자 개수만큼의 값들을 전달해야 한다. 이 값들은 괄호 쌍 속에 정의된 인자 순서대로 하나씩 전달된다. 인자를 통해 전달할 값으로는 상수(해당 상수값이 전달된다), 값을 이미 저장하고 있는 변수(해당 저장값이 전달된다), 그리고 값을 평가할 수 있는 수식(해당 평가값이 전달된다) 등이 모두 가능하다.

■ prog5-5 인자를 전달하는 함수예

prog5-5는 인자를 전달하는 함수의 다른 예다. 여기서 특기할 점은 11행의 호출시 전달한 변수명들은 a, b지만 5행의 함수 정의 쪽 변수명들은 x, y로 이름이 다르다는 것이다. 그래서 전달한 것은 a, b인데 받은 것은 x, y가 되므로 이름이 불일치하는 것에 혼란을 느낄 수가 있다. 사실 이름이 다른 것은 아무 상관이 없다. 왜냐하면 11행에서 전달한 것은 a, b라는 이름이 아니라 a, b의 값들이기 때문이다. 즉, 7과 5가 x와 y에게 각각 전달된 것이다. 따라서 12행의 b, a 역시 변수들의 순서가 11행과 뒤바뀌었다고 해서 아무 것도 혼란스러울게 없다. 여기서는 b, a의 값인 5와 7이 x와 y에게 각각 전달될 뿐이다. 그림 5-6은 prog5-5를 수행한 결과 입출력이다. 방금 설명한 내용들을 새기면서 과연 그림 5-6처럼 인쇄될지 스스로 확인해야 할 것이다.

```
1    # -*- coding: utf-8 -*-
2
3    # prog5-5 인자를 전달하는 함수예
4
5    def minus(x, y):
6        print x - y
7
8    a = 7
9    b = 5
10
11   minus(a, b)
12   minus(b, a)
13   minus(a + 1 - 1, 10 / 2)
```

그림 5-6 prog5-5 수행 결과 입출력

5.2.2 인자를 전달하는 함수의 네 가지 예

이 절에서는 함수 호출에서 인자 전달에 대한 이해를 돕기 위해 네 개의 프로그램 예를 제시한다.

▪ prog5-6 인자를 전달하는 함수예: 첫번째

먼저 prog5-6은 인자로 전달된 세 개의 수의 평균을 구하여 인쇄하는 함수를 호출하는 프로그램을 보여주고 그림 5-7은 해당 프로그램의 수행 결과 입출력을 나타낸다.

```
1    # -*- coding: utf-8 -*-
2
3    # prog5-6 인자를 전달하는 함수예
4
5    def average(x, y, z):
6        print "average =", (x + y + z) / 3
7
8    a = 7
9    b = 5
10   c = 9
11
12   average(a, b, c)
13   average(10, b, 0)
```

파이선으로 쉽게 배우는 **기초 프로그래밍**

```
average = 7
average = 5
```

그림 5-7 prog5-6 수행 결과 입출력

▪ prog5-7 인자를 전달하는 함수예: 두번째

두번째로 prog5-7은 인자로 전달된 물건 값과 받은 돈으로부터 거스름돈을 계산하여 인쇄하는 함수를 호출하는 프로그램이고 그림 5-8은 해당 프로그램 수행 결과 입출력이다.

```
1   # -*- coding: utf-8 -*-
2
3   # prog5-7 인자를 전달하는 함수예
4
5   def change(p, m):
6       print "물건 값 =", p
7       print "받은 돈 =", m
8       print "거스름돈 =", m - p
9
10  price = input("물건 값? ")
11  money = input("받은 돈? ")
12
13  change(price, money)
```

```
물건 값? 15000
받은 돈? 20000

물건 값 = 15000
받은 돈 = 20000
거스름돈 = 5000
```

그림 5-8 prog5-7수행 결과 입출력

■ prog5-8 인자를 전달하는 함수예: 세번째

세번째로 prog5-8은 인자로 전달된 고객 이름과 누적포인트로부터 개인화된 메시지를 인쇄하는 함수를 호출하는 프로그램이고 그림 5-9는 해당 프로그램을 수행한 결과 입출력이다.

```
1   # -*- coding: utf-8 -*-
2
3   # prog5-8 인자를 전달하는 함수예
4
5   def welcome(n, p):
6       print "안녕하세요,", n, "님"
7       print "현재", p, "포인트를 보유하고 있습니다"
8
9   name = "홍길동"
10  point = 700
11
12  welcome(name, point)
```

안녕하세요, 홍길동님
현재 700포인트를 보유하고 있습니다

그림 5-9 prog5-8 수행 결과 입출력

■ prog5-9 인자를 전달하는 함수예: 네번째

마지막 네번째로 prog5-9은 인자로 전달된 두 개의 값을 상호 교환하여 출력하는 함수를 호출하는 프로그램이고 그림 5-10은 해당 프로그램을 수행한 결과 입출력이다.

switch 함수는 주프로그램 17행에서 함수 호출시 사용한 변수명 a, b를 그대로 인자로 전달받아(5행) 두 변수의 값을 교환하려 시도하지만(6~8행) 함수 호출로부터 돌아온 후 주프로그램에서는 변수 값들이 호출하기 전 값들을 그대로 유지하고 있는 것을 알 수 있다(19행). 이것은 앞서 설명했듯이 17행의 함수 호출시 사용했던 a, b라는 변수명이 5행의 인자로 전달되는 것이 아니라 a의 값과 b의 값이 각각의 인자로 전달되기 때문이다.

구체적으로, switch 함수 내에서 그 값들을 변수 a, b에 저장하여 6~8행의 연산에 사용하긴 하지만 이 a, b 변수들의 기억장소는 이름만 같을 뿐 함수 호출시 새로 생성된 것으로써 주프로그램에서 사용하는 변수 a, b의 기억장소와는 다르다. 따라서 switch 함수가 새로 생성된 기억장소에 어떤 값을 새로이 저장하더라도 주프로그램의 a, b의 기억장소에 저장된 값에는 아무 영향을 미치지 못하는 것이다.

```
1    # -*- coding: utf-8 -*-
2
3    # prog5-9 인자를 전달하는 함수예
4
5    def switch(a, b):
6        t = a
7        a = b
8        b = t
9        print "switch 함수에서", "a =", a, "b =", b
10
11   print "두 개의 수를 입력하세요:"
12   a = input()
13   b = input()
14
15   print "주프로그램에서", "a =", a, "b =", b
16
17   switch(a, b)
18
19   print "주프로그램에서", "a =", a, "b =", b
```

```
두 개의 수를 입력하세요
12
7

주프로그램에서 a = 12 b = 7
switch 함수에서 a = 7 b = 12
주프로그램에서 a = 12 b = 7
```

그림 5-10 prog5-9 수행 결과 입출력

5.3 반환

은행에 현금 입금 심부름을 다녀온 후에는 아무 것도 들고 오지 않지만, 인출 심부름을 다녀온 후에는 현금을 들고 와 심부름을 시킨 사람에게 넘겨줄 것이다. 은행 심부름과 마찬가지로, 함수도 호출되어 수행을 마친 후 돌려줄 것이 없는 종류와 있는 종류로 나눌 수 있다. 예를 들어 어떤 함수는 단순히 생일 축하 메시지만 인쇄하고는 빈손으로 돌아오도록, 어떤 함수는 평균값을 구해서 이것을 가지고 돌아오도록 정의할 수 있다.

함수가 어떤 값을 가지고 돌아오는 것을 '**반환**(return)'한다고 말한다. 함수가 어떤 값을 반환하도록 하려면 함수 정의의 맨 마지막 라인에 return 명령문을 포함해야 한다. 반환문, 즉 return 문은 "**return 값**" 형식으로 표기하는데 여기서 '값'은 값으로 평가될 수 있는 것이라면 상수, 변수, 수식 모두 가능하다.

• prog5-10 값을 반환하는 함수예

다음의 prog5-10은 첫번째 인자로 주어진 x 값으로부터 두번째 인자로 주어진 y 값을 뺀 결과 값을 반환하는 함수 정의를 두 가지 버전으로 보여준다. minus1 버전은 뺄셈의 결과를 잠시 변수 z에 저장한 후 반환하고, minus2버전은 중간 변수 z를 사용하지 않고 바로 반환한다. 두 버전 모두 주어진 작업 내용을 정확하게 수행하지만 불필요한 변수 사용을 줄이는 측면에서 minus2가 좋다.

```
1    # -*- coding: utf-8 -*-
2
3    # prog5-10 값을 반환하는 함수예
4
5    def minus1(x, y):
6        z = x - y
7        return z
8
9    def minus2(x, y):
10       return x - y
```

5.3.1 반환값 사용

함수로부터 받은 반환값은, 호출한 쪽에서는 저장이나 조회 둘 중 하나로 사용한다. 저장은 반환값을 변수에 저장한다는 것이다. 조회는 변수에 저장하지 않고 바로 사용한다는 것인데 수식에서 바로 사용하거나 인쇄 명령에서 인쇄할 값으로 사용하기도 한다. 곧 이어서 예를 보일 것이다.

■ prog5-11 반환값 사용예

prog5-11은 내용상으로는 별 의미가 없지만 반환값을 사용하는 다양한 사례를 보일 목적으로 작성된 프로그램이다. 첫 사례로 minus 함수가 반환한 값을 변수에 저장하는 예를 보인다(11행). 이와 달리 저장하지 않고 조회만 하는 사례로써, 인쇄에 사용하거나(13행), 산술식에 사용하거나(15행), 관계식에 사용하는 경우를 각각 보여준다(17행). 그림 5-11은 prog5-11 수행 결과 입출력이다.

```
1    # -*- coding: utf-8 -*-
2
3    # prog5-11 반환값 사용예
4
5    def minus(x, y):
6        return x - y
7
8    a = 7
9    b = 5
10
11   c = minus(a, b)              # 변수에 저장
12
13   print minus(a, b)           # 인쇄에 사용
14
15   d = minus(a, b) + 10        # 산술식에 사용
16
17   if minus(a, b) > 0:         # 관계식에 사용
18       print "minus(a, b)의 반환값은 양수!"
```

```
2
minus(a, b)의 반환값은 양수!
```

그림 5-11 prog5-11 수행 결과 입출력

5.3.2 값을 반환하는 함수의 네 가지 예

이 절에서는 값을 반환하도록 정의한 함수의 네 가지 예를 보이고 상세히 설명함으
로써 반환 메커니즘에 대한 이해를 돕는다.

파이선으로 쉽게 배우는 **기초 프로그래밍**

■ prog5-12 값을 반환하는 함수예: 첫번째

prog5-12는 인자로 전달된 값이 짝수인지 '여부'를 반환하는 함수 even을 정의하고 이를 호출하여 반환값에 따라 메시지를 달리하여 인쇄한다. 참고로 "~~~ 여부를 반환"하는 함수라는 것은 해당 함수가 수(number)가 아닌 진리값을 반환한다는 뜻이다.

이 프로그램에는 자세히 살펴볼게 한 가지 있다. 4행에서 even 함수는 "n % 2 = 0"을 반환하도록 정의되어 있다. 이것은 "인자로 전달된 n을 2로 나눈 나머지가 0이냐"를 의미하는 관계식이다. 이 관계식을 평가하여 True나 False를 return하는 것이므로 even 함수의 반환값은 진리값이 될 것이다. 따라서 프로그램 10행의 if 바로 오른쪽의 조건식이 들어갈 자리에 위치할 수 있는 것이다(조건식은 반드시 논리값으로 평가되는 식이어야만 함을 상기하자). 그림 5-12은 prog5-12 수행 결과 입출력이다.

```
1    # -*- coding: utf-8 -*-
2
3    # prog5-12 값을 반환하는 함수예
4
5    def even(n):
6        return n % 2 == 0
7
8    x = input("정수를 입력하세요: ")
9
10   if even(x):
11       print "짝수입니다"
12   else:
13       print "홀수입니다"
```

정수를 입력하세요: *24*

짝수입니다

****

정수를 입력하세요: *31*

홀수입니다

그림 5-12 prog5-12 수행 결과 입출력

■ prog5-13 값을 반환하는 함수예: 두번째

두번째 예인 prog5-13에서 allotment 함수는 인자로 전달된 상품대금을 할부개월수로 나누어 월할부금을 구하여 반환한다. 그림 5-13은 해당 프로그램 수행 결과 입출력이다.

이 프로그램에 주목할 점이 하나 있는데 그것은 입력 에러에 대해 처리하는 첫 프로그램이란 점이다. 즉, 3 ~ 12 개월을 벗어나는 개월수에 대해서는 월할부금 계산을 거부한다. 지금까지의 프로그램 예에서는 입력 에러를 처리한 적이 없는데 이렇게 하면 만약 입력 에러가 있을 경우 프로그램은 이에 대비하지 않았기 때문에 의도하지 않았던 방향으로 수행을 하게 된다. 예를 들어, 예제 4-2 '고혈압/당뇨 판정' 프로그램 수행시 음의 혈압수치가 입력되거나, 예제 4-3 '채식주의자 판별' 프로그램 수행시 'yes' 대신 'ok'가 입력된다면 프로그램은 부정확하게 수행한다.

참고로, 예제 4-5 '네 자리 수 암호 검증' 프로그램은 중복 암호나 증감 암호에 대해서는 거부 처리를 하지만, 사용자가 세 자리 수 암호나 문자열 암호를 사용하겠다고 입력할 경우 제대로 처리하지 못한다는걸 감안하면 프로그램이 입력 에러 처리를 충분히 한다고 볼 수는 없다.

입력 에러의 유형은 다양하므로 프로그램이 입력 에러를 처리할지, 하더라도 어떤 범위와 유형의 에러까지 처리하도록 작성할지에 대한 판단은 프로그램이 사용될 환경에 따라 달라진다. 즉, 예상되는 에러의 범위에 대처할 수 있을 만큼 작성해야 할 것이다. 여기까지, 입력 에러 처리에 대한 일반적 내용과 대처 방법론을 설명했으므로

파이선으로 쉽게 배우는 **기초 프로그래밍**

앞으로 이 책에 제시되는 프로그램에서는 별도의 입력 에러 처리를 위한 코드를 대부분 생략할 것이다.

```
1   # -*- coding: utf-8 -*-
2
3   # prog5-13 값을 반환하는 함수예
4
5   def allotment(sum, n):
6       return sum / n
7
8   price = input("상품대금: ")
9   months = input("할부개월수(3~12): ")
10
11  if months < 3 or months > 12:
12      print "3~12개월 할부만 가능합니다"
13  else:
14      amt = allotment(price, months)
15      print "월할부금은", amt, "입니다"
```

상품 대금: *24000*
할부개월수(3~12): *15*

3~12개월 할부만 가능합니다

****
상품 대금: *24000*
할부개월수(3~12): *6*

월할부금은 4000입니다

그림 5-13 prog5-13 수행 결과 입출력

■ prog5-14 값을 반환하는 함수예: 세번째

세번째 프로그램 prog5-14는 현금자동지급기를 사용 중인 은행 고객으로부터 원하는 거래 코드를 입력받아 반환하는 getCode 함수를 사용한다. 그림 5-14는 해당 프로그램 수행 결과 입출력이다.

```
1   # -*- coding: utf-8 -*-
2
3   # prog5-14 값을 반환하는 함수예
4
5   def getCode():
6       print "원하는 거래번호를 선택하세요"
7       print "1 입금"
8       print "2 출금"
9       print "3 조회"
10
11      code = input("거래번호: ")
12
13      return code
14
15  c = getCode()
16
17  print c, "번을 선택하셨습니다"
```

```
원하는 거래번호를 선택하세요
    1 입금
    2 출금
    3 조회
거래번호: 2

2번을 선택하셨습니다
```

그림 5-14 prog5-14 수행 결과 입출력

▪ prog5-15 값을 반환하는 함수예: 네번째

마지막으로 네번째 프로그램 prog5-15는 두 수 a, b의 제곱의 합을 계산하여 반환하는 addSquare(a, b) 함수를 보인다. prog5-15는 함수가 함수를 호출하는 첫 예로써 addSquare 함수는 square 함수의 도움을 받아 연산 작업을 수행한다(9행). 여느 함수들과 마찬가지로, square 함수는 수행이 완료되면 자신을 호출했던 위치, 즉 addSquare 함수의 9행으로 계산 결과를 반환한다. square 함수에 대한 두 번의 호출이 모두 반환되면 반환값들은 즉시 9행의 덧셈에 사용된다. 그림 5-15는 prog5-15 수행 결과 입출력이다.

```
1   # -*- coding: utf-8 -*-
2
3   # prog5-15 값을 반환하는 함수예
4
5   def square(a):
6       return a * a
7
8   def addSquare(a, b):
9       return square(a) + square(b)
10
11  print "두 개의 수를 입력하세요:"
12  x = input()

13  y = input()
14
15  print "두 수의 제곱의 합:", addSquare(x, y)
```

```
두 개의 수를 입력하세요
12
3

두 수의 제곱의 합: 153
```

그림 5-15 prog-5-15 수행 결과 입출력

5.4 내장 함수

여기까지, 사용자가 직접 정의하여 프로그램에서 사용하는 함수들을 주로 다루었다. 대개의 전산 언어 시스템들은 시스템 내부에 이미 많은 함수들을 정의하여 두고 있어서 사용자가 프로그램 작성 중 여기에 속한 함수를 필요로 할 때는 별도로 정의하지 않고도 바로 호출하여 사용할 수 있도록 지원한다(**예**: C, C++, java 등). 이런 함수들을 시스템 **내장 함수**(builtin functions)라고 한다.

전산 언어 시스템마다 다양한 범위의 내장 함수들을 제공한다. 여기에는 다수 사용자들이 공통적으로 필요로 하는 것도 있고, 기초적이지만 사용자가 직접 작성하기가 쉽지 않은 주요 내용을 수행하는 함수들도 있다. 예를 들면 컴퓨터나 주변기기를 조작하는데 필요한 입출력 작업을 수행하는 함수들도 여기에 속한다.

내장 함수에 대한 사용 방법은 지금까지 배운대로 함수명과 인자를 통해 호출하면 된다. 실제로 지금까지 다루었던 내용 중에도 내장 함수들이 있다. 컴퓨터 키보드 작동과 관련하여 입력을 수행하는 input(), 모니터 디스플레이와 관련하여 출력을 수행하는 print(), 문자열을 정수로 변환하는 int() 등 함수도 python 내장 함수들이다.

요약

- **함수**는 작업 내용 상 독립적이거나 재활용도가 높은 명령 블록을 별도 코드로 구분해낸 것이다.
- 함수는 키워드 def을 사용해서 정의하며 정의된 함수는 함수명을 **호출**함으로써 사용한다. 프로그램 수행 중 함수가 호출되면 해당 함수 정의의 첫머리로 이동하여 진행하며 함수의 수행이 완료되면 **호출 위치**로 되돌아와 수행을 계속한다.
- **인자**는 함수가 작업 수행에 필요한 데이터를 전달하는 매개체로서 함수 정의시 함수명의 오른쪽 괄호 속에 변수들로 표기된다.
- 함수 호출시 **인자 개수**만큼의 값을 전달해야 하며 이 값들은 **인자 순서**대로 하나씩 전달된다.

- 함수가 수행을 마치고 계산 결과를 돌려주는 것을 **반환**한다고 하며 함수 수행 내용의 마지막에 키워드 return으로 표기한다.
- **반환된 값**은 일단 변수에 저장되거나, 저장되지 않고 바로 사용되기도 한다.
- 대부분의 전산 언어 시스템은 다양한 **내장 함수**들을 제공한다.

예제

5-1 네 자리 수 암호 검증

앞서 예제 4-5에서 작성했던 네 자리 수 암호 검증 문제해결 프로그램을 이번에는 함수를 사용하여 다시 작성하라.

> **해결**

ex5-1은 verify 함수를 통해 네 자리 수 검증을 수행한다. verify 함수는 사용 가능한 암호면 True를, 그렇지 않으면 False를 반환한다. 이 반환값은 프로그램에서 if 문의 분기 조건으로 사용된다(24행).

```
1    # -*- coding: utf-8 -*-
2
3    # ex5-1 네 자리 수 암호 검증    - 함수를 사용하는 버전
4
5    def verify(passwd):
6        p1 = (passwd / 1000) % 10    # 첫번째 숫자 뽑아내기
7        p2 = (passwd / 100) % 10     # 두번째 숫자 뽑아내기
8        p3 = (passwd / 10) % 10      # 세번째 숫자 뽑아내기
9        p4 = (passwd / 1) % 10       # 네번째 숫자 뽑아내기
10
11       goodPasswd = True
12
```

```
13        if p1 == p2 or p1 == p3 or p1 == p4 or p2 == p3 or p2 == p4 or p3 == p4:
14            goodPasswd = False
15        elif p1 + 1 == p2 and p2 + 1 == p3 and p3 + 1 == p4:
16            goodPasswd = False
17        elif p1 - 1 == p2 and p2 - 1 == p3 and p3 - 1 == p4:
18            goodPasswd = False
19
20        return goodPasswd
21
22    passwd = int(raw_input("사용하고자 하는 암호를 입력하세요: "))
23
24    if verify(passwd):
25        print "사용할 수 있는 암호입니다"
26    else:
27        print "사용할 수 없는 암호입니다"
```

5-2 세 개의 TOEFL 점수 가운데 최고점 찾기

그림에서 보듯이 세 개의 TOEFL 점수를 입력받아 그 가운데 최고점을 찾아내 인쇄하는 프로그램을 작성하라. 별도의 함수가 세 개의 값을 전달받아 그 중 최대값을 찾아 반환하도록 해야 한다.

세 번의 TOEFL 점수를 입력하세요
500
540
480

최고점: 540

해결

1. 다음 내용을 수행하는 함수 findMax를 작성한다
    A. 세 개의 값을 전달받는다.

파이선으로 쉽게 배우는 **기초 프로그래밍**

B. 세 개의 값을 상호 비교하여 최대값을 찾는다.

C. 최대값을 반환한다.

2. 사용자로부터 세 개의 TOEFL 점수를 입력받는다.

3. 세 점수들을 인자로 사용하여 findMax 함수를 호출한다.

4. 함수의 반환값을 인쇄한다.

ex5-2는 findMax 함수를 포함하는 프로그램을 보인다. 여기서는 특히 중첩 if 문,
즉 if 문 속에 if 문을 사용한 것과 이에 따른 들여쓰기 양식에 주목하자(6~15행).

```python
1   # -*- coding: utf-8 -*-

2

3   # ex5-2 세 개의 TOEFL 점수 가운데 최고점 찾기

4

5   def findMax(a, b, c):
6       if a > b:
7           if a > c:
8               max = a
9           else:
10              max = c
11      else:
12          if b > c:
13              max = b
14          else:
15              max = c

16

17      return max

18

19  print "세 번의 TOEFL 점수를 입력하세요:"
20  x = input()
21  y = input()
```

```
22   z = input()
23
24   print "최고점:", findMax(x, y, z)
```

5-3 삼각형의 x, y 최고점과 최저점 구하기

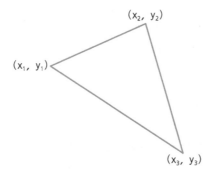

아래 그림에서 보듯이, 삼각형의 세 꼭지점 좌표 (x1, y1), (x2, y2), (x3, y3)를 입력받아 삼각형의 x축 최고점과 최저점, 그리고 y축 최고점과 최저점을 구하여 인쇄하는 프로그램을 작성하라. 별도의 함수 두 개가 세 좌표값을 전달받아 각각 최대값과 최소값을 구해 반환하도록 해야 한다.

```
삼각형의 세 꼭지점 좌표를
입력해주세요
3
10
9
17
21
2

x축: 최고점 = 21 최저점 = 3
y축: 최고점 = 17 최저점 = 2
```

해결

1. 세 개의 값을 전달 받아 그 중 최대값을 찾아 반환하는 함수 findMax(a, b, c)를 작성한다.

2. 세 개의 값을 전달 받아 그 중 최소값을 찾아 반환하는 함수 findMin(a, b, c)를 작성한다.

3. 삼각형의 세 꼭지점 좌표 (x1, y1), (x2, y2), (x3, y3)를 입력받는다.

파이선으로 쉽게 배우는 **기초 프로그래밍**

4. findMax(x1, x2, x3)와 findMin(x1, x2, x3)를 호출하여 x축 최고점 및 최저점을 각각 구해 인쇄한다.

5. findMax(y1, y2, y3)와 findMin(y1, y2, y3)를 호출하여 y축 최고점 및 최저점을 각각 구해 인쇄한다.

ex5-3은 위의 해결 절차를 수행하는 프로그램이다. 참고로 여기서의 findMax 함수는 앞서 예제 5-2에서 작성했던 findMax 함수와 완전히 동일하다.

```
1    # -*- coding: utf-8 -*-
2
3    # ex5-3 삼각형의 x, y축 최고점 및 최저점 구하기
4
5    def findMax(a, b, c):
6        if a > b:
7            if a > c:
8                max = a
9            else:
10                max = c
11        else:
12            if b > c:
13                max = b
14            else:
15                max = c
16
17        return max
18
19   def findMin(a, b, c):
20        if a < b:
21            if a < c:
22                min = a
23            else:
24                min = c
25        else:
```

```
26        if b < c:
27            min = b
28        else:
29            min = c
30
31     return min
32
33  print "삼각형의 세 꼭지점의 좌표를 입력해주세요:"
34  x1 = input()
35  y1 = input()
36  x2 = input()
37  y2 = input()
38  x3 = input()
39  y3 = input()
40
41  print "x축: 최고점 =", findMax(x1, x2, x3), "최저점 =", findMin(x1, x2, x3)
42
43  print "y축: 최고점 =", findMax(y1, y2, y3), "최저점 =", findMin(y1, y2, y3)
```

5-4 세금 계산

소득 구간에 따라 다음의 **누진세율**을 적용하여 **소득세**를 계산한다.

- 년소득 1000 미만에 대해서는 세율 = 0%

- 년소득 1000 이상 2400 미만에 대해서는 세율 = 10%

- 년소득 2400 이상 4000 미만에 대해서는 세율 = 12%

- 년소득 4000 이상 6000 미만에 대해서는 세율 = 15%

- 년소득 6000 이상에 대해서는 세율 = 20%

소득세를 계산하는 별도 함수 findTax(income)를 작성하고 이를 사용하여 사용자의
년소득을 입력받아 **소득세**를 인쇄하는 프로그램을 작성하라(그림 참고).

```
년소득을 입력하세요: 900
소득세 = 0
**********
년소득을 입력하세요: 1800
소득세 = 80
**********
년소득을 입력하세요: 3600
소득세 = 284
**********
년소득을 입력하세요: 7200
소득세 = 872
```

해결

ex5-4는 낮은 소득 구간의 세금부터 누적하는 방식으로 소득세를 계산한다.

```
1    # -*- coding: utf-8 -*-
2
3    # ex5-4 세금 계산
4
5    def findTax(i):
6        if i < 1000:
7            return 0
8
9        if i < 2400:
10           tax = (i - 1000) * 0.1
11           return tax
12
13       tax = (2400 - 1000) * 0.1
14
```

```
15        if i < 4000:
16            tax = tax + (i - 2400) * 0.12
17            return tax
18
19        tax = tax + (4000 - 2400) * 0.12
20
21        if i < 6000:
22            tax = tax + (i - 4000) * 0.15
23            return tax
24
25        tax = tax + (6000 - 4000) * 0.15
26        tax = tax + (i - 6000) * 0.2
27
28        return tax
29
30  income = input("년소득을 입력하세요: ")
31
32  print "소득세 =", findTax(income)
```

과제

5-1 빈칸 채우기

1. 정의된 함수는 (   )함으로써 비로소 사용된다.

2. 어떤 함수의 수행을 마치면 그 함수를 (   )한 위치로 돌아와 계속 수행한다.

3. 인자는 함수가 작업을 수행하기 위해 필요한 데이터를 전달하는데 사용되며 함수 정의에서 인자로는 (   )만 사용할 수 있다.

4. 함수 호출시 인자로 변수를 전달하면 함수에게는 그 변수의 (   )이, 수식을 전달하면 함수에게는 그 수식의 (   )이 전달된다.

5. 함수가 작업을 마치고 작업의 결과를 돌려주는 것을 (   )한다고 말하고 키워드 (   )을 사용한다.

6. 전산 언어 시스템에 이미 정의되어 있어 사용자가 별도로 정의하지 않고도 사용할 수 있는 함수 를 (   )라고 부른다.

5-2 입장료 계산

그림에서 보듯이 나이가 몇인지 물어 성인이면 성인 요금을, 미성년이면 할인요금을 인쇄하는 프로그램을 작성하라. 별도 함수 computeFee가 인자로 전달된 나이로부 터 요금을 계산해서 반환해야 한다. 성인 입장료는 8000원이며, 18세 미만의 미성년 은 50% 할인요금이 적용되는 것으로 전제한다.

> 나이가 몇입니까? *24*
>
> 요금은 8000원입니다
> **********
> 나이가 몇입니까? *16*
>
> 요금은 4000원입니다

5-3 암호 확인

그림에서 보듯이 네 자리 암호의 앞 두 자리를 요구하여 시스템이 가지고 있는 네 자 리 수 암호의 앞 두 자리와의 일치 여부를 출력하는 프로그램을 작성하라. 별도 함수 가 입력된 앞 두자리를 인자로 받아 일치 여부를 검사하여 반환해야 한다. 시스템이 가지고 있는 네 자리 수 암호는 상수 Password에 저장되어 있다고 전제한다.

 주의

사용자 암호의 맨 앞 숫자가 0일 수도 있다.

```
암호의 앞 두 자리를 입력하세요: 37

암호가 일치합니다
**********
암호의 앞 두 자리를 입력하세요: 05

암호가 일치하지 않습니다
```

5-4 운항 시간 계산

어떤 비행기편의 출발 시각과 도착 시각을 입력받아 운항 시간을 계산하여 그림처럼 **간략하게** 인쇄하는 프로그램을 작성하라. 별도 함수가 출발 시각과 도착 시각을 인자로 전달받아 운항시간을 계산, 반환해야 한다.

⚠ 주의

- 출발과 도착시각은 각각 네 자리 정수로 주어진다.
- 출발지와 도착지의 시차는 없다고 전제하고 계산에 고려하지 않는다.
- 자정을 지나 다음 날 도착하는 편도 있다.
- 24시간 이상 비행하는 편은 없다.

```
출발 시각: 1115
도착 시각: 1435

운항 시간: 3시간 20분
**********
출발 시각: 0310
도착 시각: 0405

운항 시간: 55분
**********
출발 시각: 1824
도착 시각: 0324

운항 시간: 9시간
```

5-5 체질량지수

16세 이상 남녀에게 적용되는 '**체질량지수**(body mass index, BMI)'란 몸무게(kg)를 키(m)의 제곱으로 나누는 값을 말한다. 그림에서 보듯이 체중(kg)과 키(cm)를 입력받아 평가 메시지를 출력하는 프로그램을 작성하라. **별도 함수** findBMI(weight, height)가 체중과 키를 인자로 전달받아 체질량지수를 계산하여 반환해야 한다. 체질량지수에 대한 평가 메시지는 다음과 같다.

- 20 미만 = 저체중
- 20 이상 25 미만 = 정상
- 25 이상 30 미만 = 과체중
- 30 이상 = 비만

```
체중? 75
신장? 175

정상!
**********
체중? 92
신장? 181

과체중!
**********
체중? 50
신장? 161

저체중!
**********
```

CHAPTER 6

목록
– 묶음으로 한꺼번에 처리하기

6.1 목록

지금까지는 주로 몇 개 정도의 데이터 값을 각각의 변수에 저장하여 처리하면 충분한 문제들의 해결에 관해 다루었다. 하지만 문제에 따라서는 몇 개가 아닌 많은 수의 유사한 데이터를 체계적인 방식으로 다루어야만 해결되는 경우도 많다. 여기서 '유사'하다는 것은 영어점수, 수학점수, 국어 점수처럼 세 과목 점수가 서로 다를지언정 취급하는 측면에서 볼 때는 별다르게 없는 데이터들을 말한다. 또 다른 예로는 올겨울 들어 지난 60일 동안의 일최저기온치들이라든가 어느 기업의 증시 상장 이후 20년 동안의 연평균 주가 등이 있다. 시험 점수, 일최저기온치 그리고 주가 사이에는 유사성이 거의 없지만 점수들 사이에, 기온치들 사이에, 또는 주가들 사이에는 유사성이 있다.

프로그램 작성시 많은 수의 유사한 데이터를 각각의 변수에 저장하여 처리한다면 변수 개수가 너무 많아져서 프로그램이 보기에도 산만해질 뿐 아니라, 더욱 곤란한건 유사한 데이터인 만큼 각 변수에 대해 유사한 처리가 필요할텐데 동일한 명령을 변수 이름별로 중복 코딩해야 하는 비효율이 발생한다는 것이다.

유사 데이터들을 한데 묶어서 저장하고 중복 코딩 없이 균일한 방식으로 취급하기 위해 '**목록**'이라고 불리는 해결 방안이 있다. **목록**(list)은 복수의 유사한 데이터 값의 집단 또는 묶음을 의미한다. 목록을 구성하는 각각의 데이터를 '**원소**(item)'라고 한다. 변수와 마찬가지로, 목록은 컴퓨터의 기억장치에 할당되며 프로그램 수행 중 목록에 저장된 원소들의 값에 대해 조회할 수 있다.

목록은 "[**원소**,**원소**,**원소**, …]" 형식으로 표기된다. 즉, 대괄호 쌍 속에 원소들이 쉼표로 분리되어 나열되는 형식으로 표현된다. 다음은 목록의 예다. 이 가운데 다섯번째 목록에 보면 원소 85가 중복이지만 현실적으로 시험 점수의 중복이 가능하므로 이상할 것은 없다. 마지막 목록은 빈 목록도 표시 가능하다는 것을 보여준다.

- [1, 2, 3, 4, 5, 6, 7, 8, 9, 10] ················· 1에서 10까지 카운터들의 목록
- [1, 3, 5, 7, 8, 10, 12] ················· 큰 달들의 목록
- ['spade', 'diamond', 'heart'] ················· 카드 무늬들의 목록
- ["서림", "민경", "은주"] ················· 친구들의 목록
- [85, 77, 85, 70, 90] ················· 시험 점수들의 목록
- ['1588-5000', '1688-8888'] ················· 대표전화번호들의 목록
- [2002, 2006, 2010, 2014, 2018] ················· 월드컵년도들의 목록
- [] ················· 한국인 노벨화학상 수상자들의 목록

주의할 것이 있는데 목록 속 원소들의 순서는 의미가 있다. 다시 말해 목록 [1, 2, 3]
과 목록 [2, 1, 3]은 다른 목록이라는 것이다.

6.2 목록 생성과 인쇄

이 절에서는 목록을 어떻게 생성하고 저장된 내용을 어떻게 인쇄할지에 대해 설명한다.

6.2.1 목록 생성

목록은 두 가지 방법에 의해 처음 만들 수 있다. 프로그램 내에서 치환문을 통해 만
드는 방법과 입력을 통해 만드는 방법이다.

먼저, 프로그램 내에서 목록을 만들기 위해 목록에 저장할 원소 값들을 치환문을 이
용하여 변수에 저장하는 방법이다. 치환문이 수행되면 이후로는 치환문 왼쪽의 변수
가 해당 목록을 대표하는 변수명이 된다. 다음은 그 예다.

- counters = [1, 2, 3, 4, 5, 6, 7, 8, 9, 10]
- bigMonths = [1, 3, 5, 7, 8, 10, 12]
- suits = ['spade', 'diamond', 'heart']
- friends= ["서림", "민경", "은주"]

- scores = [85, 77, 85, 70, 90]
- phones = ['1588-5000', '1688-8888']
- worldCup =[2002, 2006, 2010, 2014, 2018]
- nobel = []

다음, 입력을 통해 목록의 원소들을 읽어들여 목록 변수명에 저장하는 방법이다. 다음은 그 예다.

- fruits = input("좋아하는 과일들은? ")

위 입력문이 수행된 시점에 사용자가 'apple', 'orange', 'banana'를 대괄호에 싸서 입력하면 시스템은 이 과일들을 원소로 하는 목록을 만들어 변수 fruits에 저장한다.

6.2.2 목록 인쇄

출력 명령 print를 사용하여 목록의 내용을 인쇄할 수 있다. 형식은 **"print 목록변수"**다. 목록 변수란 현재의 출력문 이전에 만들어진 목록을 대표하는 변수명을 말한다. 다음은 예다.

- print scores
- print "내가 좋아하는 과일들:", fruits

6.3 목록 원소 접근

목록 변수를 사용하면 목록 전체를 접근하는 것이 되지만, 목록 속의 원소들을 개별적으로 접근할 수도 있다. '**접근**(access)'이란 프로그램 수행 도중 기억장치에 저장된 어떤 데이터에 다가가는 것을 말하며 일차적으로는 해당 데이터 값의 조회를 목적으로 하므로 값을 바꾸거나 삭제하는 것은 아니다. 목록 원소에 대한 접근은 '**인덱싱**'과 '**슬라이싱**' 두 가지 방식이 있다. 이어 설명한다.

6.3.1 인덱싱

인덱싱(indexing)은 **"목록 변수[색인 번호]"** 형식으로 이루어진다. 색인 번호란 목록 내 원소들의 위치 순서를 가리킨다. 첫번째 원소의 위치는 0이며 그 다음 원소의 위치는 1, 그 다음은 2… 이런 식으로 증가한다. 처음 위치가 1이 아닌 0이란 것에 대해 어떤 독자들은 혼란을 느낄 수도 있다. 하지만 컴퓨터 관련 설명을 위해서는 0에서 시작하는 것이 편리할 때가 많다. 만약 원소들의 역순으로, 즉 목록의 뒤에서부터 앞쪽으로 접근하고 싶다면 음수의 색인 번호로 접근한다. 예를 들어 색인 번호 −1은 맨 뒤의 원소를, −3은 뒤에서 세번째 원소를 접근한다.

다음은 인덱싱에 대한 예다. 네번째 예에서는 friends[3]을 접근 시도하지만 이는 존재하지 않는 원소다. 왜냐면 이미 언급했듯이 색인 번호가 0에서 시작하므로 네번째 원소를 접근하려는 것인데 앞서 목록예를 보면 friends는 원소가 세 개 밖에 없기 때문이다. 프로그램 수행 중 이런 불법적인 시도가 있을 경우 오류가 되어 프로그램 수행이 비정상적으로 정지한다. 다섯번째 예에 사용된 len 함수는 뒤에 설명한다.

- i = counters[0] ·· i에 1 저장
- march = bigMonths[1] ·································· march에 3 저장
- print suits[5 / 2] ·· 'heart' 인쇄
- print friends[3] ·· 색인 번호 오류
- x = scores[len(scores) − 1] ····················· x에 90 저장
- print friends[−3] ··· '서림' 인쇄

6.3.2 슬라이싱

슬라이싱(slicing)은 **"목록 변수[색인 번호1:색인 번호2]"** 형식으로 이루어진다. 이렇게 표기하면 목록의 **색인 번호1**과 **색인 번호2 − 1** 사이의 원소들을 접근한다. 알기 쉽게 **'색인 번호2'**가 아니라 **'색인 번호2 − 1'**인 것에 불편을 느낄 수도 있으나, 이렇게 함으로써 **"색인 번호2 − 색인 번호1 = 접근 원소 개수"**가 되므로 나름 편리성이 있다.

색인 번호1과 색인 번호2 둘 중 하나가 생략된 경우 '극단'을 의미한다. 즉, 어떤 리스트 a에 대해 a[:3]은 0부터 색인 번호2까지를, a[2:]는 색인 번호1부터 끝까지를 의미한다. 둘 다 생략되면, 즉 a[:]는 목록 전체를 접근한다.

다음은 슬라이싱에 대한 예다. 다섯번째 예에서는 scores[-1:-4]를 접근 시도하지만 이는 역범위기 때문에 빈 목록이 반환된다.

- i = counters[1:3]·· i에 [2, 3] 저장
- season = bigMonths[-3:-1] ················· season에 [8, 10] 저장
- print suits[:1] ·· ['spade'] 인쇄
- print friends[:] ·· friends 인쇄
- x = scores[-1:-4]·· x에 [ ] 저장
- print friends[0:-2] ···································· ['서림'] 인쇄

6.3.3 기타 접근 함수

그외 목록을 접근, 조회하는 유용한 함수 가운데 몇 개를 소개한다.

- len(list) 함수

list의 원소 개수를 반환한다. 사용예는

- i = len(counters) ································· i에 10 저장
- n = len(bigMonths[:]) ····························· n에 7 저장

- list.index(item) 함수

list에 처음 나타나는 원소 item의 색인 번호를 반환한다. item이 목록에 존재하지 않으면 오류를 일으킨다. 사용예는

- print suits.index('heart') ···················· 2 인쇄
- print friends.index('춘향')···················· 오류

▪ list.count(item) 함수

list 내 원소 item의 개수를 반환한다. 사용예는

- x = scores.count(85) ····························· x에 2 저장
- friends[1:-1].count('허니') ···················· 0 반환

6.4 목록 갱신

필요하다면, 이미 존재하는 목록에 원소를 추가하거나 삭제할 수 있다. 먼저 추가에
사용되는 함수들이다.

▪ list.append(item)

list의 끝에 원소 item을 추가한다. 사용예는

- counters.append(11) ····························· counters 맨 뒤에 11 추가
- suits.append('club') ···························· suits 맨 뒤에 'club' 추가

▪ list.insert(i, item)

list의 색인 번호 i 앞에 원소 item을 추가한다. 사용예는

- friends.insert(1, '허니') ························· friends 1 위치 앞에 '허니' 삽입
- scores.insert(-1, 92) ··························· scores 끝 위치 앞에 92 삽입

▪ list.extend(list2)

list 끝에 목록 list2를 추가하여 확장한다. 사용예는

- nobel.extend(['홍길동']) ························· nobel에 ['홍길동']을 통합
- scores.extend([88, 91]) ························· scores에 [88, 91]을 통합

다음은 삭제에 사용되는 함수다.

- list.remove(item)

list에 처음 나타나는 원소 item을 삭제한다. item이 목록에 존재하지 않으면 오류를 일으킨다. 사용예는

- worldCup.remove(2010) ···················· worldCup에서 2010을 삭제
- nobel.remove('김삿갓') ····················· 오류

- del list[i]

list의 색인 번호 i 원소를 삭제한다. i가 색인 번호 범위 밖이면 오류를 일으킨다. 사용예는:

- del bigMonths[2] ························· bigMonths에서 5를 삭제
- del phones [−1] ························· phones에서 '1688-8888'을 삭제

이 장에서 소개하는 기본적인 것들 외에도 python은 목록에 관련한 내장 함수들을 풍부하게 제공한다.

6.5 목록 연산

목록에 관한 연산도 가능하다. 덧셈, 곱셈이 가능하며 치환문의 왼쪽에 목록 원소가 올 수 있다. 다음에 설명한다.

- 덧셈

list1 + list2: list1과 list2를 합친 통합 목록이 반환된다. 사용예는

- new = [90, 88] + scores ···················· [90, 88]과 scores를 통합하여 new에 저장

- 곱셈

list * n: list를 n 배수 반복하여 반환한다. 사용예는

- counters = counters * 3 ·························· counters를 3배수 복제

■ 치환

list[k] = item: list의 색인 번호 k 위치의 원소를 item으로 치환, 즉 대체한다. 사용예는

- friends[1] = '허니' ····························· friends의 두번째 원소를 '허니'로 대체
- scores[0:3] = [95, 97] ····················· scores의 앞 세 원소들을 95, 97로 대체

6.6 함수로부터 목록 반환

함수는 일반적으로 한 개의 값만을 반환하는 것이 원칙이다. 우리가 지금까지 다루었던 함수들이 모두 이 원칙에 충실했다. 하지만 프로그램을 작성하다 보면 함수가두 개 이상의 값을 반환해야 할 필요가 생긴다. 이런 경우 목록을 사용하면 해결이된다. 즉, 함수가 반환하고자 하는 여러 개의 값을 목록에 넣어 반환하는 것이다. 그렇게 하면 함수 원칙대로 목록 한 개만 반환하는 것이지만 여러 개의 값을 반환하는효과가 생긴다. 곧 이어 함수로부터 목록이 반환되는 예를 두 가지 보인다.

■ prog6-1 목록을 반환하는 함수예: 첫번째

prog6-1은 아주 초보적인 예다. 호출된 getParents 함수는 아버지와 어머니의 이름을 입력받아(6, 7행)이들을 각각 첫째와 둘째 원소로 하는 목록을 만들어 반환한다(9행). 그림 6-1은 수행 결과 입출력이다.

```
1    # -*- coding: utf-8 -*-
2
3    # prog6-1 목록을 반환하는 함수예
4
5    def getParents():
6        father = raw_input("아버지 성함은? ")
```

```
7        mother = raw_input("어머니 성함은? ")

8

9        return [father, mother]

10

11   parents = getParents()

12

13   print "부 =", parents[0]

14   print "모 =", parents[1]
```

```
아버지 성함은? 견우
어머니 성함은? 직녀

부 = 견우
모 = 직녀
```

그림 6-1 prog6-1 수행 결과 입출력

- prog6-2 목록을 반환하는 함수예: 두번째

prog6-2에서 findMaxMin(a, b, c) 함수는 세 개의 수 a, b, c 가운데 최대값 max와 최소값 min을 구해 이들을 원소로 하는 [max, min] 목록을 만들어 반환한다(19행). 최대값과 최소값을 찾는데 단 3 회의 비교만 수행하는 것에 주목하자(8, 13, 16행). 그림 6-2는 수행 결과 입출력이다.

```
1    # -*- coding: utf-8 -*-

2

3    # prog6-2 목록을 반환하는 함수예

4

5    def findMaxMin(a, b, c):

6        max = min = a

7

8        if b > a:
```

```
9          max = b
10     else:
11          min = b
12
13     if c > max:
14          max = c
15
16     if c < min:
17          min = c
18
19     return [max, min]
20
21  print "세 개의 수를 입력하세요:"
22  x = input()
23  y = input()
24  z = input()
25
26  maxmin = findMaxMin(x, y, z)
27  print "최대값 =", maxmin[0], "최소값 =", maxmin[1]
```

세 개의 수를 입력하세요:
32
17
56

최대값 = 56 최소값 = 17

그림 6-2 prog6-2 수행 결과 입출력

어떤 학생의 1학기말 영수국 점수들과 2학기말의 영수국 점수들을 하나의 목록에 저장하여 계산에 이용할 수 있을까? 총 여섯 개의 점수니까 여섯 개 원소를 가지는 목록에 저장하면 된다고 생각할 수도 있지만, 그렇게 하면 1학기 점수들과 2학기 점수들이 목록 내에 구별없이 흩어져서 학기 구분이 없어진다. 우리가 원하는건 여섯 점수들이 학기별로 구분되는 형태다. 그러기 위해선 목록의 원소를 또 다시 목록으로 하면 되는데 이것은 2차원 목록을 정의함으로써 가능하다.

2차원 목록(two-dimensional list)은 목록 원소가 또 다시 목록인 목록을 말한다. 2차원 목록은 대괄호를 중첩, 즉 대괄호 속에 대괄호로 표기한다. 다음은 2차원 목록의 예다.

- [[90, 85, 75], [82, 90, 85]] ···································· 1학기말 영수국 점수들과 2학기말 영수국 점수들
- [["Seoul", "Tokyo"], ["Paris", "London", "Rome"]] ····· 아시아의 도시들과 유럽의 도시들
- [[918, 1392], [1592, 1636, 1950], [1988, 2002]] ·············· 건국년도들, 전쟁발발년도들, 국제대회개최년도들
- [[350, 580], [420, 200]] ·································· 현재 열린 윈도우들의 가로 세로 픽셀 수

요약

- 목록은 여러 개의 데이터 또는 값의 묶음을 말한다. 목록내 데이터들을 원소라고 부르며 이들의 목록 내에서의 순서는 의미가 있다.
- 목록은 프로그램 내에서 **치환문**을 통해 초기화되거나 **입력**을 통해 초기화될 수 있다.
- 목록내 개개의 **원소**는 대괄호 속에 0에서 출발하는 **색인 번호**를 표시함으로서 접근 가능하다. 접근에는 **인덱싱**과 **슬라이싱** 두 가지 방식이 있다
- 목록을 **접근**하는 함수들, **갱신**하는 함수들, 목록에 관한 **연산** 등 다양한 작업이 가능하다.
- 함수가 **두 개 이상**의 값을 반환하고자 하면 값들을 목록으로 만들어 반환하면 된다.
- **2차원 목록**은 대괄호를 중첩하여 표기한다.

예제

6-1 전화번호 인쇄하기

목록에 저장된 지역번호, 국번, 번호를 그림에서처럼 전화번호 형식으로 바꾸어 인쇄하는 프로그램을 작성하라. 목록의 전화번호는 프로그램 내에서 초기화해도 좋다.

> 전화번호는 010-3333-5555입니다

해결

각 수들 사이사이에 '-'를 삽입하여 전화번호 형식으로 인쇄한다. ex6-1 프로그램이 이를 수행한다.

```
1    # -*- coding: utf-8 -*-
2
3    # ex6-1 전화번호인쇄하기
4
5    phone = ['010', '3333', '5555']
6
7    print "전화번호는", phone[0], '-', phone[1], '-', phone[2], "입니다"
```

6-2 목록의 네 원소들을 일련번호와 함께 인쇄

주어진 네 개짜리 목록의 원소들을 그림에서처럼 일련번호와 함께 인쇄하는 프로그램을 작성하라. 목록은 프로그램 내에서 초기화해도 좋다.

> 1 apple
> 2 orange
> 3 banana
> 4 peach

해결

1. 네 개의 일련번호의 목록을 생성한다.

2. 일련번호에 의해 네 원소를 차례로 접근하며 일련번호와 원소를 한 라인에 인쇄한다.

ex6-2는 위 해결 절차를 수행한다.

```
1   # -*- coding: utf-8 -*-
2
3   # ex6-2 목록의 네 원소들을 일련번호와 함께 인쇄
4
5   counters = [1, 2, 3, 4]
6   fruits = ['apple', 'orange', 'banana', 'peach']
7
8   print counters[0], fruits[0]
9   print counters[1], fruits[1]
10  print counters[2], fruits[2]
11  print counters[3], fruits[3]
```

6-3 두 수의 합과 차를 계산

두 개의 수 a, b의 합 a + b와 차 |a − b|를 동시에 반환하는 함수 sumDiff(a, b)를 작성하고 그림에서 보듯이 sumDiff 함수를 테스트할 프로그램을 작성하라.

HINT

x의 절대값, 즉 |x|를 반환하는 함수 abs(x)는 내장 함수로 제공된다.

두 개의 수를 입력하세요:
-3
13

합 = 10 차 = 16

파이선으로 쉽게 배우는 **기초 프로그래밍**

다음의 ex6-3은 위 문제를 해결한다.

```
1    # -*- coding: utf-8 -*-
2
3    # ex6-3 두 수의 합과 차를 계산
4
5    def sumDiff(x, y):
6        return [x + y, abs(x - y)]
7
8    print "두 개의 수를 입력하세요:"
9    a = input()
10   b = input()
11
12   result = sumDiff(a, b)
13
14   print "합 =", result[0], "차 =", result[1]
```

6-4 평균 점수로부터 합격 여부를 판정

주어진 세 개의 점수의 평균이 60 이상이면 합격을, 아니면 불합격을 인쇄하는 프로그램을 작성하라(첫 번째 그림 참고). 그림에서처럼, 세 개의 점수를 한 라인으로 입력받아 목록에 저장해야 한다. 세 점수의 평균 계산은 별도 함수로 작성해야 한다.

세 개의 점수: *60 55 58*

불합격입니다

HINT

문자열 s를 목록으로 변환하는 내장 함수 s.split()를 이용하라. split 함수는 문자열 s 내의 공백에 의해 원소가 분리된 목록을 반환한다(두번째 그림 참고).

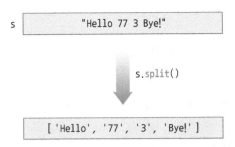

s   "Hello 77 3 Bye!"

s.split()

['Hello', '77', '3', 'Bye!']

해결

1. 목록 slist로 전달받은 세 점수의 평균을 구해 반환하는 함수 average(slist)를 작성한다.
2. 주프로그램은 라인 입력을 문자열로 받아 목록으로 만들어 average 함수에게 전달하고 반환값에 따라 합격 불합격을 판정, 인쇄한다.

ex6-4는 위의 절차를 수행한다. 우선 세 개의 점수를 포함하는 라인을 raw_input을 통해 문자열 scores로 입력받는다(8행). 다음, 이번 예제를 통해 새로 배울 함수 split을 사용하여 문자열 scores를 목록 scoresList로 변환한다(9행). scoresList에는 세 개의 점수가 문자열 형태로 포함되게 된다. average 함수는 전달받은 slist 목록의 세 점수를 int를 사용하여 각각 정수로 변환하여 평균을 계산, 반환한다(6행).

```
1   # -*- coding: utf-8 -*-
2
3   # ex6-4 평균점수로부터 합격 여부를 판정
4
5   def average(slist):
6       return (int(slist[0]) + int(slist[1]) + int(slist[2])) / 3
7
8   scores = raw_input("세 개의 점수: ")
9   scoresList = scores.split()
10
11  avg = average(scoresList)
12
```

```
13   if (avg >= 60):
14       print "합격입니다"
15   else:
16       print "불합격입니다"
```

6-5 두 학생의 세 개의 점수

이번엔 주프로그램이 학생 이름과 세 개의 점수로 구성된 라인 입력을 받아 average 함수에게 학생 이름과 점수들, 이 두 가지를 원소로 하는 목록을 전달해야 한다. average 함수는 인자로부터 학생 이름과 평균 점수를 인쇄하고 반환해야 한다(그림 참고).

이름과 세 개의 점수: *홍길동 60 55 58*

홍길동 평균 = 57

해결

1. 이번에도 주프로그램은 raw_input과 split을 사용해서 목록을 구성하고 average 함수는 int 를 이용해서 평균을 구한다.
2. 인자로 전달할 목록이 두 개짜리 원소가 되기 위해서는 2차원 목록이 되어야 한다. 즉, 첫번째 원소는 학생 이름, 두번째 원소는 세 개의 점수로 된 목록이다

다음 ex6-5가 위 해결 절차를 수행한다.

```
1   # -*- coding: utf-8 -*-
2
3   # ex6-5 평균 점수 인쇄
4
5   def average(rec):
6       name = rec[0]
7       avg = (int(rec[1][0]) + int(rec[1][1]) + int(rec[1][2])) / 3
8       print name, "평균 =", avg
```

```
9
10   line = raw_input("이름과 세 개의 점수: ")
11   lineList = line.split()
12   name = lineList[0]
13   scoresList = lineList[1:]
14
15   average([name, scoresList])
```

과제

6-1 빈칸 채우기

1. 여러 개의 데이터 또는 값의 묶음을 목록이라 하며 목록 내 데이터들의 순서는 의미가 (있다,
   없다).

2. 목록은 프로그램 내에서 초기값을 (   )에 저장하여 만들 수도 있고 입력으로부터 만
   들 수도 있다.

3. 목록 내의 개별 원소는 **"목록 변수[색인 번호]"**로 표기하며 목록의 첫 원소에 대한 색인 번호는
   (   )이다.

4. 목록 원소를 색인 번호로 접근하는 방식은 (   )과 (   ) 두 가지가 있다.

5. 두 목록을 통합하는 산술 연산은 (   )이다.

6. 함수가 **여러 개**의 값을 반환할 필요가 있을 경우 이 값들을 (   )으로 만들어 반환하
   면 된다.

6-2 목록에 태그 달기

목록 원소들이 라인 입력으로 주어지면 원소 개수를 알아내어 개수를 목록의 맨 뒤
에 달아주는 함수 tag(list)를 작성하라 – 예를 들어 입력으로 주어진 라인이 k b s라
면 tag 함수는 ['k', 'b', 's', 3]을 반환한다. 그림에서처럼 적당한 프롬프트를 사용하여
tag 함수를 테스트할 프로그램을 작성하라.

목록을 입력하세요: *k b s*

태그된 목록은 ['k', 'b', 's', 3]입니다
****
목록을 입력하세요: *3 12 6 77*

태그된 목록은 [3, 12, 6, 77, 4]입니다

6-3 1년만기 정기예금

그림에서처럼 적당한 프롬프트를 사용하여 1년만기 정기예금에 예치할 금액을 물어 1년 만기후의 **원금, 이자** 및 **원리합계**를 계산하고 이 세 가지 값을 적당한 메시지와 함께 인쇄하는 프로그램을 작성하라 – 연이율은 10%로 전제한다.

 주의

- bank(deposit) 함수가 예치 금액 deposit을 인자로 전달받아 원금, 이자, 원리합계를 모두 계산하여 반환해야 한다.
- 과제 3–4에서 다루었던 문제지만 이번엔 함수와 목록을 사용해야 한다.

HINT

소수점을 제거하기 위해 int 함수 사용.

1년만기 정기예금에 얼마를 예치하시겠습니까? *200000*

원금: 200000
이자: 20000
원리합계: 220000

****
1년만기 정기예금에 얼마를 예치하시겠습니까? *1000000*

원금: 1000000
이자: 100000
원리합계: 1100000

그림에서처럼 주민번호 앞 7 자리를 입력받아 생년월일을 인쇄하는 프로그램을 작성하라. 2000년 이후 출생자는 없다고 전제한다. 별도 함수 getBirthday(ssn)가 주민번호 앞 7 자리를 인자로 전달받아 생년월일 목록을 반환해야 한다.

```
주민번호 앞 6 자리: 970325

생년월일: 1997 3 25
**********
주민번호 앞 6 자리: 601104

생년월일: 1960 11 4
**********
주민번호 앞 6 자리: 000808

생년월일: 1900 8 8
```

CHAPTER 7

반복 (1)
– 1000번 할 것을 단 한번으로

7.1 반복

비교적 단순한 문제들은 일방통행식의 경로를 따라 전진해가면서 해결될 수 있다. 하지만 복잡한 문제들 중에는 중간에 가던 길을 되돌아와 이미 수행했던 작업을 다시 하기를 여러 번 되풀이 해야만 해결이 되는 경우가 많다. 이는 문제해결 과정에 반복 작업이 포함된다는 의미다.

문제해결에 수반되는 되풀이 작업을 프로그램 상에서 지원하는 '**반복**(repetition)' 명령은 동일한 작업 내용을 되풀이 수행하는 것을 표현할 수 있게 해줌으로써 복잡 다양한 문제들의 해결에 결정적인 도움을 준다. 이런 점에서 반복은 앞서 배운 **분기**와 더불어 가장 강력한 문제해결 도구라고 할 수 있다.

문제해결 도구로서 python이 지원하는 반복에는 다음 두 가지 유형이 있다.

- **일정 횟수 반복**: 일정한 횟수만큼 동일한 내용의 작업을 반복적으로 수행
- **일정 조건 반복**: 특정 조건이 성립하는 동안 동일한 내용의 작업을 반복적으로 수행

위 두 가지 유형 가운데 첫번째 유형은 for 문을 사용하고, 두번째 유형은 while 문을 사용한다는 차이와 함께 내용상으로도 구분될 만한 차이가 있으므로 이 장과 다음 장으로 나누어 설명한다.

7.2 for 문 – 일정 횟수 반복

일정 횟수 반복이란 정해진 횟수만큼 반복함을 뜻한다. 프로그램 수행 중 일정 횟수 반복명령을 만나면 해당 명령들을 정해진 횟수만큼 되풀이 수행하고 그 다음 명령으로 진행한다.

일정 횟수 반복 명령은 키워드 '**for**'에 의해 표기된다. 형식은 "**for 변수 in 목록:**"이며 그 아래에 들여쓰기로 내부 명령문들이 표기된다. 첫머리에 키워드 '**in**' 다음에 나

타난 '**목록**'은 아무 목록이면 충분하다. 키워드 '**for**' 다음에 나타난 '**변수**'는 '**반복제어 변수**'라고도 하며 **목록**의 각 원소를 칭하는 변수다. **반복제어 변수**(loop control variable)는 반복의 횟수만큼 이 변수값이 변경되면서 반복을 통제하게 된다. 즉, for 문 첫머리 아래에 들여쓰기로 작성된 내부 명령문들이 반복 수행될 때마다 **목록** 내의 각 원소가 이 **변수**로 대체되어 수행된다. 따라서 for 문은 정확히 주어진 목록의 원소 개수만큼 반복한다. 모든 원소에 대한 반복을 마치면 for 문의 다음 명령문으로 진행한다.

7.2.1 for 문의 두 가지 예

다음은 for 문의 두 가지 예를 보인다.

▪ prog7-1 목록 원소에 대해 반복하는 for 문 사용예: 첫번째

prog7-1은 for 문을 사용한 예다. for 문에 주어진 목록의 세 원소 각각에 대해(7행) 인쇄 명령을 수행하고(8행) 종료한다. 그림 7-1은 prog7-1 수행 결과 입출력이다. 그림 7-2는 prog7-1의 수행 내용을 순서도로 보인 것이다. 점선으로 크게 둘러싸인 부분은 순서도에서 for 반복문의 영역을 나타낸다.

```
1   # -*- coding: utf-8 -*-
2
3   # prog7-1 for 반복문 사용예
4
5   print "내가 좋아하는 수들"
6
7   for i in [57, 333, 9]:
8       print i
9
10  print "끝"
```

```
내가 좋아하는 수들
57
333
9
끝
```

그림 7-1 prog7-1 수행 결과 입출력

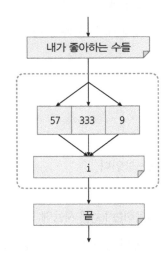

그림 7-2 prog7-1 수행 내용에 대한 순서도

- prog7-2 목록 원소에 대해 반복하는 for 문 사용예: 두번째

이 형태로 정의된 for 문을 사용한 두번째 예로 prog7-2는 프로그램 내에서 초기화된 점수 목록을 일대일로 처리하여 Pass, Fail 목록을 작성한다. findGrades(scores) 함수는 빈 학점 목록 grades를 초기화한 후(6행), 인자로 주어진 scores 목록 내의 점수가 60점 이상이면 'Pass' 문자열을(10행), 60점 미만이면 'Fail' 문자열을 grades 에 추가한다(12행). for 반복문이 완료됨과 동시에 모든 점수가 처리되는데 이때는 grades를 반환한다(14행).

```
1    # -*- coding: utf-8 -*-

2

3    # prog7-2 for 반복문 사용예

4
```

파이선으로 쉽게 배우는 **기초 프로그래밍**

```
5   def findGrades(scores):
6       grades = []
7
8       for s in scores:
9           if s >= 60:
10              grades.append('Pass')
11          else:
12              grades.append('Fail')
13
14      return grades
15
16  scores = [89, 53, 95, 60]
17  print "점수 =", scores
18
19  grades = findGrades(scores)
20  print "학점 =", grades
```

점수 = [89, 53, 95, 60]
학점 = ['Pass', 'Fail', 'Pass', 'Pass']

그림 7-3 prog7-2수행 결과 입출력

7.2.2 내장 함수 range를 사용한 for 문

문제들 가운데는 일정 범위의 정수에 대해 반복적으로 수행하여 해결하는 경우가 상당히 많다. 1부터 10까지 합산한다든지, 지난 20년 동안의 주식시세 추이라든가 하는 문제들이 여기에 속한다. 이런 유형의 문제들은 for 문을 사용하기에 적당하다. 왜냐하면 for 문은 기본적으로 주어진 목록 원소들에 대해 반복하므로 문제에 주어진 정수 범위를 그대로 목록에 담아 for 문을 수행하면 되기 때문이다. 그러나 문제에 따라서 수십 수백개가 넘을 수도 있는 정수들을 포함하는 목록을 실제 수작업으로 만들어야 한다면 누구라도 힘들 것이다.

내장 함수 **range**를 사용하면 쉽게 정수들의 목록을 만들 수 있다. "range(**정수1, 정수 2**)"로 호출하면 함수는 첫 수인 **정수1**부터 끝 수인 (**정수2 - 1**)까지의 정수들의 목록을 반환한다. 예를 들어 range(6, 10)은 목록 [6, 7, 8, 9]를 반환한다. 여기서, 왜 끝수 즉, 10까지 반환하도록 설계되지 않았는지 의아하게 생각할 수도 있다. 그러나 한편으로 생각하면 range(6, 10)을 호출하면 (끝 수 - 첫 수) = (10 - 6) = 4, 즉 4 개의 정수가 반환될 것이란 것을 쉽게 예측할 수 있다는 이점을 생각해보면 이 방식이 더 편리할 수도 있다. 6장에서 목록 원소 접근을 위한 슬라이싱 형식에서도 이와 비슷한 논의를 한 적이 있다.

여하간, 목록에 range 함수를 사용한 for 문은 정확히 range의 (끝 수 - 첫 수)만큼 반복하게 된다. 참고로, 역범위에 대해서 range 함수는 빈 목록을 반환한다. 곧 이어 range 함수를 사용한 for 문의 두 가지 예를 보인다.

- prog7-3 range 함수로 생성한 목록에 대해 반복하는 for 문예: 첫번째

prog7-3은 이 방식으로 정의된 for 문을 사용한 예다. 프로그램은 1부터 20 사이의 정수 범위 내에서 5의 배수를 찾아내 출력한다. for 문 목록에는 range(1, 21) 함수의 반환값이 사용된다(7행). for 문의 반복제어 변수 i에는 목록 내 정수들의 값이 1부터 20까지 차례로 대입되어 들여쓰기된 내부 명령을 수행한다(8~9행). 그림 7-4는 프로그램 수행 결과 입출력이며 그림 7-5는 이 프로그램의 수행 내용을 보여주는 순서도다. for 반복문의 영역은 크게 둘러싼 점선으로 표시되었다.

```
1    # -*- coding: utf-8 -*-

2

3    # prog7-3 for 반복문 사용예

4

5    print "5의 배수"

6
```

```
7    for i in range(1, 21):
8        if (i % 5 == 0):
9            print i
10
11   print "끝"
```

```
5의 배수
5
10
15
20
끝
```

그림 7-4 prog7-3 수행 결과 입출력

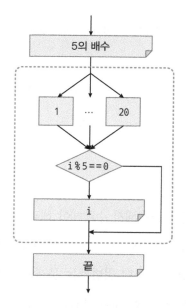

그림 7-5 prog7-3 수행 내용에 대한 순서도

■ prog7-4 range 함수로 생성한 목록에 대해 반복하는 for 문예: 두번째

prog7-4는 range 함수가 반환한 목록으로 반복하는 for 문의 두번째 예다. 프로그램은 for 문에서 2000년 이후 2016년까지의 년도 목록 가운데 월드컵이 열리는 해를 '*'로 대체한 후 결과 목록을 인쇄한다. 그림 7-6은 prog7-4 수행 결과 입출력이다.

```
1    # -*- coding: utf-8 -*-

2

3    # prog7-4 for 반복문 사용예

4

5    years = range(2000, 2017)

6

7    for y in years:

8        if y % 4 == 2:

9            years[y - 2000] = '*'

10

11   print years
```

[2000, 2001, '*', 2003, 2004, 2005, '*', 2007, 2008, 2009, '*', 2011, 2012, 2013, '*', 2015, 2016]

그림 7-6 prog7-4 수행 결과 입출력

7.3 중첩 for 문

문제에 따라서는 for 문을 중첩해서 수행해야 해결되는 경우도 있다. 중첩 for 문이란
외부에 for 문이 있고 그 내부에 for 문이 또다시 존재하는 형태를 말한다. 중첩 for
문이 필요한 두 가지 경우 가운데 첫번째는 문제에 주어진 데이터가 원래부터 2차원
적이어서 외부 for 문이 그 중 한 개의 차원을 처리하고 내부의 for 문이 나머지 한 차
원을 처리해야 하는 경우다. 두번째는 문제에 주어진 데이터는 1차원적이지만 한번
의 for 문으로는 해결이 되지 않아 for 문의 내부에서 또다른 for 문에 의한 작업이 필
요한 경우다. 첫번째 경우는 프로그램 작성이 비교적 쉽다고 할 수 있으며 두번째 경
우는 난이도가 높은 경우가 종종 있다. 첫번째 경우의 예는 곧이어 다루고 두번째 경
우의 예는 예제 7-7에서 다룬다.

■ prog7-5 중첩 for 문예

prog7-5는 세 명의 학생이 획득한 TOEFL 점수 가운데 최고 평균점을 구하는 프로그램이다. 이 문제에 주어진 데이터를 살펴보면(5~8행) 학생별로 여러 개의 점수를 가지고 있고(1차원), 그런 학생이 여럿 존재하므로(2차원) 주어진 데이터 자체가 '2차원적'이라고 할 수 있다. 이런 경우 중첩 for 문을 사용하면 잘 해결되는 경우가 많다.

이와 같은 중첩 for 문을 작성할 때 주의할 점이라면 변수 초기화에 관한 것이다. 예를 들어 bestAvg 변수나(11행) sum변수의 초기화 위치(14행)를 현재와는 다른 행에 배치한다면 실행 오류가 나거나 실행이 되더라도 부정확한 결과를 얻게 된다. 두 변수가 왜 11행과 14행에서 각각 초기화되어야 하는지 스스로 확인해보자.

prog7-5에서 한 가지 특이 사항은 주프로그램의 중간 지점에 함수가 정의되어 있다는 점이다. 이처럼 python에서는 함수 정의가 해당 함수 호출에 앞서기만 하면 정의 위치에 대해서는 자유롭다고 할 수 있다.

```
1    # -*- coding: utf-8 -*-

2

3    # prog7-5 중첩 for 문예

4

5    kim = [520, 585]

6    park = [580, 540, 590]

7    lee = [490, 510]

8    students = [kim, park, lee]

9

10   def findBest(studs):

11       bestAvg = -1                       # bestAvg 초기화

12

13       for s in studs:

14           sum = 0                        # sum 초기화

15
```

```
16          for i in s:
17              sum += i
18

19          avg = sum /len(s)          # 평균계산
20

21          if avg > bestAvg:          # 최고평균점 갱신
22              bestAvg = avg
23

24      return bestAvg
25

26 print "최고 평균점: ", findBest(students)
```

7.4 for 문 사용시 주의점

프로그램 작성 중 for 문 사용시 주의할 점이 다음 두 가지가 있다.

첫번째는 **반복제어 변수**를 변경하지 말라는 것이다. 반복제어 변수들은 반복 때마다 다른 값을 가지고 for 문의 내부 명령들을 수행한다. 이 명령들 가운데 반복제어 변수의 값을 변경하려는 시도는 금물이다. 이것은 미리 예정된 반복 횟수를 변경하려는 시도가 되어 프로그램 환경에 따라 예기치 않은 결과를 초래하거나 오류를 일으킬 수 있으므로 애초에 시도하지 않는 것이 좋다.

두번째는 반복 횟수가 0일 수도 있다는 것이다. for 문에서 만약 목록이 비어 있다면 들여쓰기된 내부 명령은 한번도 수행되지 않고 for 문이 종료된다. 이것은 프로그램 작성자가 일부러 의도한 상황일 수도 있는 것으로써 오류는 아니다.

▪ prog7-6 for 문 사용시 주의점

prog7-6은 위에 설명한 주의점들 가운데 두번째를 예시한다. 두 개의 for 문 모두에서 내부 명령들이 한번도 수행되지 않는다. 그림 7-7은 prog7-6의 수행 결과를 보인다.

```
1    # -*- coding: utf-8 -*-
2
3    # prog7-6 for 반복문 사용예
4
5    for i in []:
6        print i
7
8    for y in range(12, 10):
9        print y
10
11   print "보다시피 위에 아무 것도 인쇄되지 않는다"
```

보다시피 위에 아무 것도 인쇄되지 않는다

그림 7-7 prog7-6 수행 결과 입출력

요약

- 반복은 문제해결의 과정에서 동일한 내용의 작업을 되풀이 수행함을 말한다.

- 반복의 두 가지 유형은 **일정 횟수 반복**과 **일정 조건 반복**이다.

- **for 문**은 **목록 원소에 대해 반복**하는 방식으로 일정 횟수 반복을 수행한다.

- 내장 함수 **range**를 사용하면 일정 범위 내의 정수들의 목록을 생성할 수 있다.

- for 문 사용시 **반복제어 변수**의 값을 반복 도중에 변경하려는 시도는 오류 가능성이 있으므로 좋지 않다.

- **중첩 for 문**은 두 개의 for 문이 외부와 내부에 중첩되게 작성된 경우를 말한다.

- for 문은 **빈 목록**에 대해서는 한 번도 내부 명령을 수행하지 않고 다음 명령으로 진행한다.

- **반복**은 **분기**와 더불어 가장 강력한 문제해결 도구로 기능한다.

예제

7-1 범위 (1 ~ n)의 자연수들의 합 계산

인자로 주어진 자연수 n에 대해, 범위 (1 ~ n)의 자연수들의 합을 구하는 함수 findSum(n)을 작성하고 그림과 같은 출력이 나올 수 있도록 적절히 테스트하라.

> 자연수를 입력하세요: *10*
>
> 1 ~ 10 사이 자연수들의 합 = 55

해결

1. range 함수로 1부터 n까지 정수들의 목록을 만든다.

2. 이 목록에 대해 반복하는 for 문을 사용하여 목록 내 수들을 합산하는 함수 findSum을 작성한다.

3. 주프로그램은 자연수 i를 입력받아 findSum(i)를 호출한다.

ex7-1은 위 해결 절차를 수행한다. for 문에 진입하기 전에 sum 변수를 1로 초기화 했으므로(6행) for 문 내에서는 2부터 더해 나가는 것만 주의하면 된다.

```python
1   # -*- coding: utf-8 -*-
2
3   # ex7-1 범위 (1 ~ n)의 자연수들의 합
4
5   def findSum(n):
6       sum = 1
7       for i in range(2, n + 1):
8           sum = sum + i
9
10      return sum
11
12  i = input("자연수를 입력하세요: ")
13  print "1 ~", i, "사이 자연수들의 합 =", findSum(i)
```

본문에서 설명했듯이 "list[i] = x" 치환문은 목록 list의 색인 번호 i 원소를 x로 대체하여 list를 **갱신**한다. 여기서는 주어진 list를 갱신하지 않으면서 동일한 대체 작업을 수행한 결과 목록을 새로 만들어 반환하는 함수 replaceIdx(list, i, x)를 작성하라(첫 번째 그림 참고). 초기 목록 list, 색인 번호 i, 대체할 값 x를 입력받아 replaceIdx(list, i, x)를 호출하고 반환된 결과를 인쇄할 프로그램을 작성하라(두번째 그림 참고).

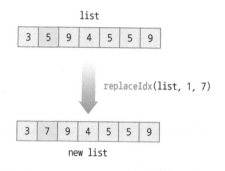

```
목록을 입력하세요: 3 5 9 4 5 5 9
색인 번호: 1
대체 값: 7

대체 후 목록: [3, 7, 9, 4, 5, 5, 9]
```

해결

1. 다음은 replaceIdx 함수가 수행할 내용이다.

2. 새 목록을 빈 목록으로 초기화한다.

3. 만약 색인 번호가 음수면 양수로 변환한다.

4. for 문 내부에서:

    A. 색인 번호가 인자로 전달된 색인 번호와 일치하면 대체할 값을 새 목록에 추가한다.

    B. 그렇지 않으면 기존 원소를 새 목록에 추가한다.

5. 새 목록을 반환한다.

ex7-2는 위 해결 절차를 수행한다. deQuote 함수는 자연수들에게 씌워진 따옴표를 벗겨내는 작업을 한다. 즉, 문자열의 목록을 수의 목록으로 전환한다(5~7행).

```
1    # -*- coding: utf-8 -*-

2

3    # ex7-2 목록의 특정위치 원소 대체

4

5    def deQuote(list):

6        for k in range(0, len(list)):

7            list[k] = int(list[k])

8

9    def replaceIdx(list, i, x):

10       nlist = []

11

12       if i < 0:

13           i = len(list) + i

14

15       for k in range(0, len(list)):

16           if k == i:

17               nlist.append(x)

18           else:

19               nlist.append(list[k])

20

21       return nlist

22

23   list = raw_input("목록을 입력하세요: ").split()

24   numList = deQuote(list)

25

26   i = input("색인 번호: ")

27   x = input("대체 값: ")

28

29   nlist = replaceIdx(list, i, x)

30

31   print "대체 후 목록:", nlist
```

7-3 목록 원소들의 평균값과 최대값

수(number) 원소들로 이루어진 목록 list에 대해 원소들의 평균값을 계산하는 함수 findAverage(list)와 최대값을 찾는 함수 findMax(list)를 작성하라. list는 주프로그램 내에서 초기화해도 좋다. 위 함수들을 테스트할 수 있는 프로그램을 작성하라(그림 참고).

⚠ **주의**

내장 함수 max(list)가 목록 list의 원소 중 최대값을 반환하지만 연습을 위해 findMax를 새로 작성하라.

```
평균값: 53
최대값: 63
```

해결

1. 목록 list의 원소들을 누적 합산한 값을 원소 개수(내장 함수 len 사용)로 나누어 평균을 구해 반환하는 함수 findAverage(list)를 작성한다.
2. list 원소들을 읽으면서 최대값을 찾아 반환하는 함수 findMax(list)를 작성한다.
3. 프로그램을 작성하여 함수 findAverage와 findMax를 호출하고 각각의 반환값을 인쇄한다.

ex7-3은 위 해결 절차를 수행한다. 11행에서 누적합 sum을 원소 개수(내장 함수 len의 반환값)로 나누어 평균을 구한다. 14행에서 최대값을 첫번째 원소로 초기화한 것에 주목하자. 이는 최대값 뿐 아니라 최소값을 구할 때도 흔히 사용하는 테크닉이다.

```python
1   # -*- coding: utf-8 -*-
2
3   # ex7-3 목록 원소들의 평균값과 최대값
4
5   def findAverage(list):
6       sum = 0
7
```

```
8       for num in list:
9           sum = sum + num
10
11      return sum / len(list)
12
13  def findMax(list):
14      largest = list[0]
15
16      for num in list:
17          if num > largest:
18              largest = num
19
20      return largest
21
22  scores = [60, 42, 50, 63, 50]
23
24  print "평균값:", findAverage(scores)
25  print "최대값:", findMax(scores)
```

7-4 공통 원소 목록 만들기

주어진 두 개의 목록 A, B의 원소들 가운데 공통 원소들로 이루어진 목록 C를 만드는 함수 findCommon(A, B)을 작성하라(첫번째 그림 참고). C 내에 원소 중복은 없어야 한다. 작성한 findCommon 함수를 프로그램에서 적당히 테스트하라(두번째 그림 참고). 목록 A, B는 주프로그램 내에서 초기화해도 좋다.

HINT

멤버십 여부를 반환하는 함수 in을 사용하자 - 즉, "item in list"는 원소 item이 목록 list에 존재하면 True를, 아니면 False를 반환한다. 예를 들면:

8 in [34, 5, -7, 8, 14] ·························· True를 반환
'cat' in ['dog', 'horse'] ························ False를 반환

피이선으로 쉽게 배우는 **기초 프로그래밍**

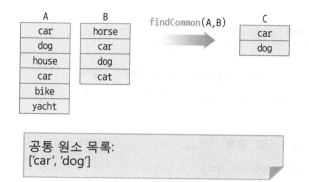

공통 원소 목록:
['car', 'dog']

해결

1. 빈 목록 C를 초기화한다.

2. 두 목록 A, B 가운데 아무 목록 A를 선택하여 반복적으로 A의 각 원소가 B에도 존재하는지 in 함수로 검사하여 존재하는 원소만 C에 추가한다 – 단, A의 각 원소를 검사할 때 이미 C에 존재하는 원소면 무시하고 A의 다음 원소로 넘어간다.

ex7-4는 위 해결 절차를 수행한다. 참고로 9행과 10행의 중첩 if 문은 두 개의 조건식을 'and'로 연결하면 한 개의 if 문으로 바꿀 수 있다. 즉, 조건식을 "not a in C and a in B"로 하면 하나의 if 문으로 대체될 수 있다.

```
1    # -*- coding: utf-8 -*-
2
3    # ex7-4 공통원소 목록 만들기
4
5    def findCommon(A, B):
6        C = []
7
8        for a in A:
9            if not a in C:
10               if a in B:
11                   C.append(a)
12
```

```
13      return C
14
15  tom = ['car', 'dog', 'house', 'car', 'bike', 'yacht']
16  bob = ['horse', 'car', 'dog', 'cat']
17
18  print "공통 원소 목록:"
19  print findCommon(tom, bob)
```

7-5 세균 번식

한마리의 새로 생겨난 세균은 그 다음날과 이틀 후 각각 한마리의 세균을 번식한 후 소멸한다(번식 그림 참고). 오늘 현재 한마리의 새로운 세균이 있다. 오늘부터 n 일째에 생겨날 세균 수를 계산할 함수 countGerms(n)을 작성하라. 사용자가 입력한 날짜 수 n 일이 지난 후 생겨날 세균 수를 인쇄하는 프로그램을 작성하라(입출력창 그림 참고).

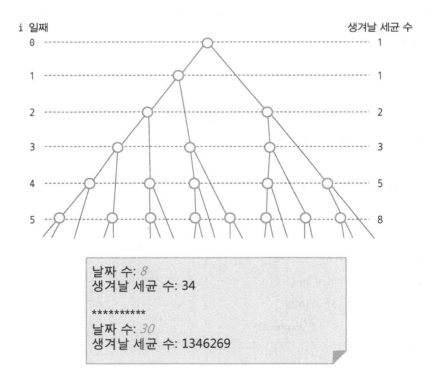

1. countGerms(n) 함수가 for 반복문을 사용하여 특정한 날짜 범위 동안 반복적으로 계산하도록 한다.

이 문제는 잘 알려진 n 번째 **피보나치 수**(Fibonacci number)를 구하는 문제다. ex7-5는 위 해결 절차를 수행한다. 오늘과 내일 세균 수는 각각 1로 정해졌으므로 본격적인 계산은 모레부터다. 따라서 n이 0이나 1인 경우에는(6행) 간단히 1을 반환하고(7행), 2 이상의 n에 대해서는 for 문으로(12행) 계산한 결과를 반환하는 것에 주목하자.

이 for 문에서 한 가지 특이한 것은 반복제어 변수 i가 for 문 내부에서 굳이 사용되지 않는다는 점이다. 문제에 따라서는 이런 경우도 있다는 것만 알아두면 된다.

```
1    # -*- coding: utf-8 -*-
2
3    # ex7-5 세균번식
4
5    def countGerms(n):
6        if n == 0 or n == 1:
7            c = 1
8        else:
9            a = 1
10           b = 1
11
12           for i in range(2, n + 1):
13               c = a + b
14               a = b
15               b = c
16
17       return c
18
```

```
19  i = input("날짜 수: ")
20
21  germs = countGerms(i)
22
23  print "생겨날 세균 수:", germs
```

7-6 반장선거

 10명으로 구성된 학급에서 반장선거가 있다. 반학생 10명 모두가 후보며 각각 1에서 10 사이의 후보 기호를 가진다. 반학생들의 투표 내용을 인자로 전달받아 후보별 득표 수를 계산하여 반환하는 함수 countVotes를 작성하라. 주프로그램은 10명의 투표 내용을 기호순으로 입력받은 다음 countVotes 함수의 반환값으로부터 후보별 득표 수를 인쇄하고 **최다득표자**의 기호를 인쇄해야 한다(그림 참고). 무효표, 기권표는 없다고 전제한다.

 HINT

다음 두 가지 목록을 사용하라.

- votes: 기호순 투표 내용 (원소 10개)
- earns: 기호순 득표 수 (원소 10개)

```
투표 내용: 7 2 5 7 4 10 1 5 5 4

기호: 1   득표 수: 1
기호: 2   득표 수: 1
기호: 3   득표 수: 0
기호: 4   득표 수: 2
기호: 5   득표 수: 3
기호: 6   득표 수: 0
기호: 7   득표 수: 2
기호: 8   득표 수: 0
기호: 9   득표 수: 0
기호: 10  득표 수: 1

최다득표자: 5
```

1. 함수 countVotes(votes)를 작성한다.

   A. 투표함 목록 votes를 전달받아 개표한다.

   B. 개표를 시작하기 전에 10 명 후보 각각의 득표 수를 누적할 목록 earns의 원소를 모두 0으로 초기화한다 – 개표 과정에서 기호 i 후보가 한 표 득표할 때마다 목록 원소 치환문을 사용하여 earns[i – 1] 의 값을 1 증가시킨다.

   C. votes에 저장된 10개의 투표를 모두 개표한 후 후보별 득표 기록 earns를 반환한다.

2. 함수 findMaxIdx(list)를 작성한다.

   A. 내장 함수 max(list)는 주어진 목록 list의 원소들 중에서 **최대값**을 반환하지만, 이 문제에서는 **최대값의 색인 번호**를 찾는 findMaxIdx(list)가 필요하므로 이를 작성한다.

3. 함수 printEarns(earns)를 작성한다.

   A. 후보별 득표 수 목록 earns를 전달받아 기호순으로 한 라인에 한 후보씩 득표 수를 인쇄한다.

4. 주프로그램을 작성한다.

   A. 입력을 받아 투표함 목록 votes를 초기화한다.

   B. 다음, countVotes(votes)를 호출하여 후보별 득표 결과 earns 목록을 반환받는다.

   C. 다음, printEarns(earns) 함수를 호출하여 earns를 인쇄한다.

   D. 다음, findMaxIdx(earns) 함수를 호출하여 최다득표자의 기호를 알아내 인쇄한다.

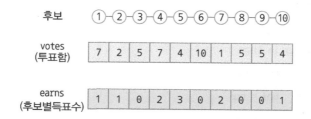

ex7-6은 위 해결 절차로 작성된 프로그램이다. findMaxIdx 함수는 최대값을 찾음과 동시에 그 값의 위치도 기억하면서 진행한다는데 주목하자. 프로그램 작성시 주의해야 할 것은 후보들의 기호는 1에서 시작하여 10까지 이어지지만 목록의 색인 번호는 0에서 9까지라는 점이다. 이 차이를 메꾸기 위해 투표함에서 나온 기호에서 1을 뺀다든가(13행), 최다득표자의 색인 번호에 1을 더해서 후보 기호를 얻는(39행) 작업을 한다.

```python
1   #-*- coding: utf-8 -*-
2
3   # ex7-6반장선거
4
5   def deQuote(list):
6       for i in range(0, len(list)):
7           list[i] = int(list[i])
8
9   def countVotes(votes):
10      earns = [0, 0, 0, 0, 0, 0, 0, 0, 0, 0]
11
12      for v in votes:
13          earns[v - 1] += 1
14
15      return earns
16
17  def findMaxIdx(list):
18      max = 0
19      maxIdx = 0
20      i = 0
21
22      for num in list:
23          if num > max:
24              max = num
25              maxIdx = i
26
27          i = i + 1
28
29      return maxIdx
30
31  def printEarns(earns):
```

```
32      for i in range(0, len(earns)):
33          print "기호:", i + 1, "득표 수:", earns[i]
34
35  votes = raw_input("투표 내용: ").split()
36  deQuote(votes)
37
38  earns = countVotes(votes)
39  winner = findMaxIdx(earns) + 1
40
41  printEarns(earns)
42  print "최다득표자:", winner
```

7-7 최대 k-구간합 계산

주어진 목록 list의 **"최대 k-구간합 "**, 즉 k 칸 내에 이웃한 원소들의 합 가운데 최대 값을 구하는 함수 findMaxSpan(list, k)를 작성하라(아래 '3-구간합예' 그림 참고). 주 프로그램에서 입력된 정수들의 목록 list와 구간 수 k에 대해 findMaxSpan(list, k) 함수를 호출하여 최대 k-구간합을 구해 인쇄하는 프로그램을 작성하라(아래 입출력 그림 참고).

HINT

중첩 for 문, 즉 for 문 내에 for 문이 있는 형태를 사용한다.

HINT

최대 구간합 초기화를 위한 최소값으로는 sys 라이브러리 모듈을 import하여 여기서 제공하는 시스템 상수 sys.maxint의 음의 값을 이용하라.

list

8	-10	3	15	-7	0	9

1

8

11

8

2

정수들의 목록을 입력하세요: *8 -10 3 15 -7 0 9*
최대 k-구간합을 구할 구간 수(k): *3*

최대 3-구간합: 11

해결

findMaxSpan 함수가 임무를 수행하기 위해서는 중첩 for 문이 필요하다. 아래 ex7-7 프로그램을 보면 findMaxSpan 함수 내에 중첩 for 문이 있다. 외부의 for 문은 목록의 맨 처음 원소부터 하나씩 오른쪽으로 진행하면서 k-구간의 시작 위치를 설정하며(13행), 내부의 for 문은 해당 구간 내 k 개의 원소를 합산한다(16행).

외부 for 문의 반복 범위가 0에서 size – k + 1인 것에 주목하자(13행). 중첩 for 문에 진입하기 전에 최대 구간합 max를 초기화하는 것도 주목하자(11행). 이를 게을리하면 19행의 조건식 검사에서 max 값 undefined라는 오류가 발생한다.

참고로 과제 7-6은 최대 k-구간합을 **최대 구간**과 함께 반환하는 문제를(그림 참고), 과제 7-7은 가능한 모든 k에 대해 **최대 구간합**을 구하는 문제를 다룬다.

```python
1   # -*- coding: utf-8 -*-
2
3   # ex7-7 최대 k-구간합 계산
4
5   def deQuote(list):
6       for i in range(0, len(list)):
7           list[i] = int(list[i])
8
9   def findMaxSpan(list, k):
10      size = len(list)                        # 목록의 길이
11      max = list[0]                           # 임시 최대 구간합
12
13      for start in range(0, size - k + 1):    # start = 구간 출발 위치
14          sum = list[start]                   # 현재 구간합 초기화
15
16          for i in range(1, k):               # 현재 구간 내 원소들
17              sum += list[start + i]          # 원소 합산
18
19          if sum > max:                       # 최대 구간합 갱신
20              max = sum
21
22      return max
23
24  list = raw_input("정수들의 목록을 입력하세요: ").split()
25  deQuote(list)
26  k = input("최대 구간합을 구할 구간 수: ")
27
28  max = findMaxSpan(list, k)
29
30  print "최대", k,"-구간합:", max
```

과제

7-1 빈칸 채우기

1. 반복의 두 가지 유형에는 일정 (   ) 반복과 일정 (   ) 반복이 있다. 첫번째 유형은 for 문을 사용해서 해결한다.

2. 빈 목록에 대해 for 문을 사용하면 (   )회 반복 수행하게 된다.

3. 내장 함수 (   )를 사용하여 연속적인 정수들의 목록을 쉽게 만들 수 있다.

4. (   )은 두 개의 for 문이 외부와 내부에 겹쳐진 형태로 작성된 것을 말한다.

5. for 문 내부에서 for 문의 (   ) 변수를 변경하려는 시도는 일반적으로 금기사항이다.

7-2 구간내 홀수합 계산

주어진 자연수 a, b 사이의(a, b 포함) 모든 홀수의 합을 계산하여 반환하는 함수 oddSum(a, b)을 작성하라. oddSum(a, b) 함수는 a < b 혹은 a > b에 관계없이 그 사이의 모든 홀수를 합한다. 앞서 prog5-12에서 작성한 even 함수를 사용해도 좋다. 그림에서처럼 oddSum 함수를 테스트할 수 있는 프로그램을 작성하라.

```
두 개의 자연수를 입력하세요:
3
10

3과 10 사이의 홀수의 합은 24입니다
**********
두 개의 자연수를 입력하세요:
28
24

28과 24 사이의 홀수의 합은 52입니다
**********
두 개의 자연수를 입력하세요:
303
303

303과 303 사이의 홀수의 합은 303입니다
```

7-3 블랙잭 커플의 수 찾기

두 정수의 합이 21이면 '**블랙잭**'이라 하고 그 정수 쌍을 '**블랙잭 커플**(Black Jack couple)'이라고 하자 – 예를 들어 11과 10은 블랙잭 커플이다. 입력으로 주어진, **중복이 없는** 정수의 목록 list에 블랙잭 커플이 몇 쌍이나 있는지 찾아내는 함수 countBJCouples(list)와 이 함수를 테스트할 수 있는 프로그램을 작성하라.

> **📖 참고**
>
> 중복을 허용하면 문제의 난이도가 높아진다 – 예를 들어 [1, 20, 1, 20] 목록을 생각해보면 알 수 있다.

> 중복이 없는 정수들의 목록을 입력하세요: *3 19 0 -4 18 25*
>
> 2 쌍의 블랙잭 커플이 있습니다
> **********
> 중복이 없는 정수들의 목록을 입력하세요: *10 7 5 28 -11*
>
> 0 쌍의 블랙잭 커플이 있습니다

7-4 목록의 특정 값 원소 대체

입력으로 초기화된 목록 list의 원소 가운데 특정 값 x 원소들을 모두 y로 대체하여 list를 **갱신**하는 함수 replace(list, x, y) 및 이를 테스트할 수 있는 프로그램을 작성하라(그림 참고).

>
> **HINT**
>
> "list[i] = y" 치환문을 사용하라

> **⚠ 주의**
>
> - 만약 list에 원소 x가 존재하지 않는다면 대체는 일어나지 않는다.
> - 만약 list에 원소 x가 여럿 있으면 모든 x가 y로 대체되어야 한다.

목록 원소들을 입력하세요:*cat dog monkey dog*

대체 대상 원소: *dog*
대체 원소: *bird*

갱신된 목록:
['cat', 'bird', 'monkey', 'bird']

7-5 여비 계산

0에서 5까지의 여섯 개 도시들이 번호 순서대로 일직선 상에 놓여 있다. **출발** 도시는 0, **목적** 도시는 n − 1이며, 도시 숫자가 커가는 방향으로 비행기만을 이용하여 여행한다. 하루에 비행기를 한 번만 탈 수 있으며 중간 도시(들)을 경유할 경우 반드시 해당 도시의 호텔에서 1박하고 다음날 비행기를 타야 한다. 각 도시에는 호텔이 한 개씩 있으며 각 도시의 **호텔 요금**은 아래 표에 나타나 있다(0번과 5번 도시에서는 숙박할 필요가 없다). 어떤 도시 i에서 다른 도시 j(j > i)까지의 **비행기 요금**은 $(j - i)^2 * 10$이다. 사용자가 경유하고 싶은 도시 번호들을 순서대로 입력받아 총여비를 구해 인쇄하는 프로그램을 작성하라(그림 참고).

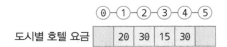

	20	30	15	30	

도시별 호텔 요금

중간에 들를 도시들을 차례로 입력하세요(1~4): *3*
총여비는 145입니다

****
중간에 들를 도시들을 차례로 입력하세요(1~4): *2 4*
총여비는 150입니다

****
중간에 들를 도시들을 차례로 입력하세요(1~4): *1 2 3 4*
총여비는 145입니다

****
중간에 들를 도시들을 차례로 입력하세요(1~4):

총여비는 250입니다

7-6 최대 구간합과 최대 구간 계산

예제 7-7 '최대 k-구간합' 문제는 최대 k-구간합을 찾지만 그 구간이 어느 구간인지는 찾지 않는다. findMaxSpan 함수가 최대 k-구간합은 물론 **최대 구간**까지 반환하도록 수정하고 주프로그램도 수정하여 테스트하라(그림 참고).

```
정수들의 목록을 입력하세요: 8 -10 3 15 -7 0 9
최대 k-구간합을 구할 구간 수(k): 3

최대 3-구간합: 11
최대 구간: 2:4
```

7-7 최대 구간합 계산

주어진 목록 list의 **최대 구간합**, 즉 모든 k에 대한 **k-구간합** 가운데 최대값을 구하는 함수 findMaxAllSpans(list)를 작성하라(아래 '다양한 구간합예' 그림 참고). 주프로그램에서 입력된 정수들의 목록 list에 대해 findMaxAllSpans 함수를 이용해 **최대 구간합**을 구하여 인쇄하는 프로그램을 작성하라(아래 입출력 그림 참고). 최단 구간의 길이는 1이며, 최장 구간의 길이는 목록의 전체 길이다.

음수가 존재할 수 있으므로 최장 구간합이 반드시 최대 구간합이 아닐 수도 있다.

예제 7-7에서 작성한 findMaxSpan 함수를 이용하라.

참고

다양한 구간합예

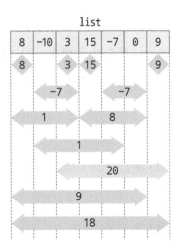

정수들의 목록을 입력하세요: *8 -10 3 15 -7 0 9*

최대 구간합: 20

CHAPTER 8

반복 (2)
– 그만하랄 때까지 시키기

분기와 더불어 가장 강력한 문제 해결도구인 **반복**에는 다음 두 가지 유형이 있다고 했다.

- **일정 횟수 반복**: 특정 목록의 원소 각각에 대해 또는 특정 횟수만큼 동일한 내용의 작업을 반복적으로 수행
- **일정 조건 반복**: 특정 조건이 성립하는 동안 동일한 내용의 작업을 반복적으로 수행

위 두 가지 유형 가운데 for 문을 사용하는 첫번째 유형은 앞 장에서 설명했으며 이 장에서는 while 문을 사용하는 두번째 유형에 대해 설명한다.

8.1 while 문 – 일정 조건 반복

일정 조건 반복이란 특정조건이 성립하는 동안 반복함을 뜻한다. 일정 조건 반복 명령은 키워드 'while'에 의해 표기되며 "**while 조건:**" 형식으로 표기된다. 이 **조건** (condition)은 관계식 또는 논리식으로 표기되며 이를 반복에 사용된 조건식이라 부른다. 프로그램 수행 중 while 문을 만나면 이 조건을 평가하여 결과가 True인 동안만 아래에 들여쓰기된 내부 명령들을 되풀이 수행한다.

좀더 구체적으로 설명하면 다음과 같다. 프로그램 수행 중 while 문의 첫머리에 도달하면 그곳에 표기된 조건을 검사, 즉 평가한다. 그 결과가 True면 while 문 내부 명령들을 차례로 수행한다. 수행을 마치면 다시 첫머리로 돌아가 조건식을 다시 검사하고 그 결과가 True면 내부 명령 수행을 반복한다. 최초의 검사를 포함하여 검사 결과가 False면 내부 명령을 수행하지 않은 채 while 문을 종료하고 다음 명령으로 진행한다. 다시 말해 최초의 검사에서 조건식이 False로 평가되면 while 문의 내부 명령은 한번도 수행하지 않고 지나가게 된다.

▪ while 문 반복제어 변수

for 문과 마찬가지로 while 문에도 **반복제어 변수**가 있다. 그러나 for 문은 첫머리에

반복제어 변수가 표시되지만, while 문의 반복제어 변수는 for 문처럼 뚜렷이 드러나진 않는다. while 문의 반복제어 변수는 다음 세 가지 특징으로부터 찾아낼 수 있다. 이 특징들에 대해 잘 이해하면 while 문 반복에 대한 이해는 물론 작성도 상당히 쉬워지므로 잘 공부해둘 필요가 있다.

1. **(외부 초기화)** 첫째, while 문의 반복제어 변수는 while 문에 진입하기 전에 반드시 **초기값**을 가진다. 그렇지 않으면 조건 검사에서 값이 정의되지 않은 반복제어 변수를 조회하는 오류가 발생하기 때문이다.

2. **(내부 갱신)** 둘째, 이 변수는 while 문 내에서 값이 **변경**된다.

3. **(조건 검사)** 셋째, 그렇게 변경되다가 어느 시점에는 이 변수가 while 문의 **조건**을 False로 평가될 수 있도록 하는 값을 가진다. 그렇지 않으면 해당 while 문이 무한 반복하게 되어 프로그램이 정지하지 않는 오류를 일으키기 때문이다.

위에 보인 세 가지 특징이 for 문의 반복제어 변수에게는 해당되지 않는다. 그 이유는 다음과 같다.

1. **(외부 초기화)** for 문에서는 반복제어 변수가 for 문의 목록 원소 중 첫 원소로 자동 초기화되므로 별도의 외부 초기화를 하지 않는다.

2. **(내부 갱신)** for 문의 목록 원소들이 차례로 반복제어 변수에 대입되어 변수값이 자동 갱신되므로 별도의 내부 갱신을 하지 않는다.

3. **(조건 검사)** for 문의 목록 원소가 소진되 반복이 자동 종료되므로 반복 종료를 위한 조건 검사를 하지 않는다.

이렇듯 for 문은 반복에 관련한 주요 작업들을 자동으로 처리하므로 while 문에 비해 사용하기가 편하다고 할 수 있다. 따라서 선택할 수만 있다면 while 문을 피하고 for 문을 사용하는 편이 낫다. 하지만 문제에 따라서는 for 문으로는 해결이 안되어 while 문을 사용하지 않을 수 없는 상황도 많다. for 문과 while 문 사이의 선택 기준에 관해서는 이 장의 마지막 절에서 상세히 설명한다.

while 문에서 자주 사용되는 반복제어 변수에는 두 가지 형태가 있다. 정수값을 가지는 카운터 변수 형태와, 수가 아닌 임의의 값을 가지는 변수 형태다. 이어지는 절에서 이 두 가지 형태에 대해 설명한다.

8.1.1 카운터 변수로 반복을 제어하는 while 문

먼저 카운터 변수 형태의 반복제어 변수다. 이것을 사용해 작성된 while 문은 다음 수행 절차를 따른다.

1. **(외부 초기화)** 반복제어 변수, 즉 카운터 변수가 **초기화**된 후 while 문에 진입한다 – **초기값**은 치환문, 입력문, 또는 인자를 통해 설정된다.
2. **(내부 갱신)** 반복할 때마다 while 문 내에서 카운터 변수가 매번 **증가** 또는 **감소**한다.
3. **(조건 검사)** 반복할 때마다 while 문의 **조건식**이 카운터 변수 값을 검사하여 False가 되면 while 문이 종료된다.

다음은 이 형태의 while 문으로 작성된 프로그램예다.

▪ prog8-1 while 반복문 사용예: 첫번째 형태

prog8-1은 3에서 시작하여 하나씩 감소하면서 0이 되기 전까지 값을 인쇄하라는 문제에 대한 프로그램이다. 이 문제를 해결하기 위해 프로그램은 카운터 변수 i를 반복제어 변수로 사용하여 다음과 같이 수행한다.

1. **(외부 초기화)** i를 3으로 초기화한 후(5행) while 문에 진입한다.
2. **(내부 갱신)** while 문 내부에서 반복 때마다 i를 하나씩 감소시킨다(11행).
3. **(조건 검사)** 마지막에 i가 0이 되면(9행) while 문을 종료한다.

앞서 설명한대로 반복제어 변수의 외부 초기화, 내부 갱신, 조건 검사 등 세 가지 특징을 모두 갖춘 것을 알 수 있다. 그림 8-1은 prog8-1 수행 결과 입출력이며 그림 8-2는 프로그램에 대한 순서도를 보인다. 점선으로 둘러싼 부분은 while 문의 영역을 나타낸다.

```
1   # -*- coding: utf-8 -*-
2
3   # prog8-1 while 반복문 사용예
4
5   i = 3
6
7   print "카운트다운 개시!"
8
9   while i > 0:
10      print i
11      i = i - 1
12
13  print "끝"
```

```
카운트다운 개시!
3
2
1
끝
```

그림 8-1 prog8-1 수행 결과 입출력

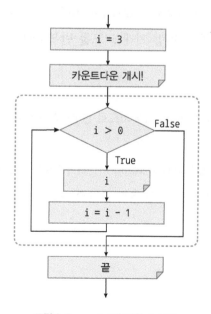

그림 8-2 prog8-1에 대한 순서도

8.1.2 임의의 변수로 반복을 제어하는 while 문

이번엔 while 문 반복제어 변수의 두번째 형태다. 이 형태에서는 정수값을 가지는 카운터 변수가 아니라 임의의 값을 가지는 변수가 반복을 제어한다. 이런 형태의 반복제어 변수를 사용한 while 문은 다음 수행 절차를 따른다.

1. **(외부 초기화)** 반복제어 변수가 **초기화**된 후 while 문에 진입한다 – **초기값**은 치환문, 입력문, 또는 인자를 통해 설정된다.
2. **(내부 갱신)** 반복할 때마다 while 문 내에서 반복제어 변수 값이 갱신된다(치환, 입력, 연산 등을 통해).
3. **(조건 검사)** 반복할 때마다 while 문의 **조건식**은 반복제어 변수 값을 검사하여 False가 되면 while 문이 **종료**된다.

다음은 이 형태의 while 문으로 작성된 프로그램예다.

■ prog8-2 while 반복문 사용예: 두번째 형태

prog8-2은 희망거래 코드를 입력받아 해당 명령을 수행하는 프로그램이다. 코드는 d(deposit, 입금), w(withdrawal, 출금), i(inquiry, 잔액조회), q(quit, 거래종료)의 네 종류가 있다. 프로그램은 희망 거래 코드를 반복제어 변수로 사용하여 다음과 같이 수행한다.

1. **(외부 초기화)** 사용자의 첫 희망거래 코드로 반복제어 변수를 초기화한 후(5행) while 문에 진입한다.
2. **(내부 갱신)** while 문 내에서 반복 때마다 사용자의 입력을 받아 희망거래 코드를 **갱신**한다(10행).
3. **(조건 검사)** 희망거래 코드가 'q'면 while 문 종료(7행).

그림 8-3은 프로그램 수행 결과 입출력이다. service 함수가 호출되어 입력 코드에 따른 실제 서비스 작업을 수행해야 하지만 실제로 구현하지는 않았기 때문에 주석처리되었다(9행). 그림 8-4는 prog8-2에 대한 순서도다. 이 프로그램에서도 반복제어 변수의 외부 초기화, 내부 갱신, 조건 검사 등 while 문의 세 가지 특징을 모두 갖추고 있는 것에 주목하자.

```
1    # -*- coding: utf-8 -*-
2
3    # prog8-2 while 반복문 사용예
4
5    code = raw_input("어떤 거래를 원하세요(d, w, i, q)? ")
6
7    while code != 'q':
8        print "입력하신 거래 코드는", code, "입니다"
9    #    service(code)              # 서비스 함수
10       code = raw_input("어떤 거래를 원하세요(d, w, i, q)? ")
11
12   print "안녕히 가세요"
```

```
어떤 거래를 원하세요(d, w, i, q)? i
입력하신 거래 코드는 i입니다
어떤 거래를 원하세요(d, w, i, q)? d
입력하신 거래 코드는 d입니다
어떤 거래를 원하세요(d, w, i, q)? i
입력하신 거래 코드는 i입니다
어떤 거래를 원하세요(d, w, i, q)? w
입력하신 거래 코드는 w입니다
어떤 거래를 원하세요(d, w, i, q)? q
안녕히 가세요
```

그림 8-3 prog8-2 수행 결과 입출력

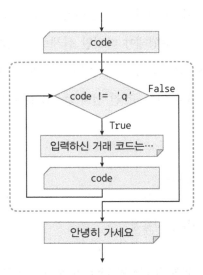

그림 8-4 prog8-2에 대한 순서도

8.2 while 문 사용시 주의점

while 문 사용에 두 가지 주의할 것이 있다. 조건이 항상 True인 경우와, 항상 False 인 경우다. 일반적으로는 while 문의 조건식이 상황에 따라 True 혹은 False로 평가될 수 있어야 문제해결에 적당한 횟수만큼 반복 수행을 하고 마칠 것이다. 그러나 만약 조건식이 항상 True로 평가된다면 반복 수행을 마칠 이유가 없게 되어 무한 반복 상태로 진행하게 된다. 이 같은 반복을 '**무한 루프**(infinite loop)'라고 부르는데 프로그램 작성자가 이를 의도한 경우는 거의 드물고 작성 과정에서의 오류 때문인 경우가 대부분이다.

반대로, 조건식이 항상 False로 평가되는 것이라면 while 문의 내부 명령은 단 한번도 수행되지 않는다. 이 역시 의도된 경우는 없고 프로그램 작성 오류인 경우가 대부분이다. 따라서 while 문 작성 과정에서 혹시 조건식이 항상 True나 False가 되는지 미리 잘 확인해야 할 것이다.

- prog8-3 while 반복문 사용예

prog8-3는 방금 설명한 두 가지 경우를 모두 보여주는 예다. 5행의 while 문은 항상 False로 평가되는 조건식을, 8행의 while 문은 항상 True로 평가되는 조건식을 가지고 있다. 따라서 5행의 while 문은 아무 것도 하지 않고 지나가고 8행의 while 문에서는 무한 루프에 빠진 것을 볼 수 있다(그림 8-5참고)

```
1    # -*- coding: utf-8 -*-
2
3    # prog8-3 while 반복문 사용예
4
5    while 3 == 0 and 3 != 0:
6        print "이곳엔 결코 올 수 없습니다!"
7
8    while 3 == 0 or 3 != 0:
9        print "무궁화꽃이 피었습니다"
10
11   print "이곳에도 결코 올 수 없습니다!"
```

```
무궁화꽃이 피었습니다
무궁화꽃이 피었습니다
무궁화꽃이 피었습니다
무궁화꽃이 피었습니다
무궁화꽃이 피었습니다
무궁화꽃이 피었습니다
...
```

그림 8-5 prog8-3 수행 결과 입출력

8.3 for 문과 while 문 사이의 선택

문제해결을 위한 프로그램 작성시 반복이라는 도구를 사용해야 한다는 것을 인지하기는 쉽다. 하지만 for 문과 while 문 가운데 어느 것을 써야 좋을지 판단하기는 그만큼 쉽지는 않다. 다행히 두 명령 사이의 차이점을 잘 이해한다면 그리 어렵지 않게 답을 찾을 수 있게 된다.

첫째, 가장 중요한 차이는 for 문은 반복 횟수를 미리 알 수 있을 때 사용하고, while 문은 그렇지 않을 때 사용하면 된다. 만약 목록을 취급하며 이 목록의 원소들을 차례로 처리하는 방식으로 작업할 필요가 있을 때는 목록 원소 수만큼 반복할 것을 미리알 수 있으므로 for 문이 적당하다. 앞 장의 예제에서 다루었던 다음 함수들이 모두좋은 예다.

- findSum(n): 1부터 n까지 정수로 구성된 목록의 원소들을 합산하여 반환
- replaceIdx(list, i, x): 목록 list의 색인 번호 i 원소를 x로 대체한 새 목록 반환
- findAverage(list): 목록 list 원소들의 평균값 반환
- findMax(list): 목록 list 원소들의 최대값 반환
- findCommon(A, B): 목록 A의 처음 나온 원소 중 목록 B에도 있는 원소들을 새 목록에 모아 반환
- countGerms(n): 2부터 n까지 일수로 구성된 목록을 이용해 n 일째 생겨날 세균 수를 구해 반환
- countVotes(votes): 목록 votes를 이용해 후보별 득표 수 목록을 계산하여 반환

단, 목록 원소들을 차례로 처리해야 하는 작업이라도 중간에 특정 조건이 성립하면 반복을 중지해야 할 경우는 while 문이 적당하다. 이 경우에 for 문을 사용하면 중간에 반복을 중지할 수 없기 때문이다. 다음 함수가 좋은 예다.

- 예: 주어진 목록의 모든 원소들이 양수면 True를, 음수가 하나라도 있으면 False를 반환하는 함수

처리할 목록이 처음부터 존재하지 않으면 일단은 while 문 사용을 고려하는게 좋다. 하지만 여기에 예외가 있다. 처리할 목록이 없더라도 일정 횟수 반복을 필요로 하는 경우는 for 문이 적당하다. 좋은 예로는 7장의 예제에서 다루었던 findSum(n)과

countGerm(n)함수가 있다. 두 문제 모두 처음엔 목록을 다루는 문제가 아니었지만, 결국 range 함수를 이용해 생성한 목록에 대해 for 문을 수행한다.

반복에 for 문 또는 while 문 중 어느 것을 사용할지 선택은 위에 설명한 개념을 익힌 후에도 많은 연습을 통해야만 선택에 아무 지장이 없을 정도로 숙달될 것이다. 사실 반복을 포함하는 문제해결을 위해 두 가지 반복문 가운데 어느 것을 선택할지, 그리고 무엇을 반복제어 변수로 설정할지를 제대로 정할 수 있다면 반복이라는 강력한 도구를 구사하기에 별 어려움이 없게 되어 프로그래밍 전반에도 큰 발전을 기대할 수 있을 것이다.

요약

- 일정 조건 반복의 경우 특정 조건이 성립하는 동안 동일한 내용의 명령들이 반복적으로 수행된다.
- 여기에 사용된 조건은 관계식 또는 논리식이며 이를 반복에 사용된 **조건식**이라고 부른다.
- 이런 유형의 반복은 키워드 while을 사용한 **while 문**으로 표기한다.
- while 문의 반복제어 변수는 while 문 진입 전 외부 초기화, 내부에서 갱신, 조건 검사로 반복 종료라는 세 가지 특징을 가진다.
- while 문의 반복제어 변수에는 **카운터 변수**와 **임의 값 변수** 등 두 가지 형태가 있다.
- while 문의 조건이 **항상 False**면 내부 명령은 단 한 번도 수행되지 않고 다음 명령으로 진행한다.
- while 문의 조건이 **항상 True**면 무한 루프, 즉 내부 명령이 무한히 수행되므로 while 문 다음 명령으로 진행할 수가 없다.
- 일반적으로 **반복 횟수**를 미리 알 수 있는 경우에는 for 문을, 알 수 없는 경우에는 while 문을 사용한다.
- 목록의 원소들을 하나씩 처리하는 반복인 경우 for 문이 적당하다. 목록이 존재하지 않더라도 **일정 횟수**만큼 반복해야 한다면 for 문이 적당하다.

예제

8-1 사용 가능한 암호가 입력될 때까지 무한 반복

앞서 예제 5-1 '네 자리 수 암호 검증'에서 사용자가 초기 입력한 네 자리 수 암호 passwd를 전달받아 숫자 중복이 있거나, 하나씩 증가 또는 감소하는 순서로 배치되어 있으면 False를, 그렇지 않으면 True를 반환하는 함수 verify(passwd)를 작성했다. 사용 가능한 초기 암호 네 자리 수를 사용자가 입력할 때까지 반복해서 다시 요구하는 프로그램을 verify 함수를 이용하여 작성하라(그림 참고).

> 사용할 네 자리 수 암호를 입력하세요: *5434*
> 사용할 수 없는 암호입니다
> 사용할 네 자리 수 암호를 입력하세요: *3456*
> 사용할 수 없는 암호입니다
> 사용할 네 자리 수 암호를 입력하세요: *8765*
> 사용할 수 없는 암호입니다
> 사용할 네 자리 수 암호를 입력하세요: *6012*
> 사용할 수 있는 암호입니다

해결

1. 사용 가능한 초기 암호를 입력할 때까지 얼마나 반복 요구해야 할지 미리 알 수 없으므로 while 문을 사용한다.

2. 사용자 입력 암호를 **반복제어 변수**로 사용한다.

ex8-1은 위 해결 절차를 수행한다. verify 함수는 진리값을 반환하므로 while 문의 조건식에 직접 사용할 수 있다. 사용자 입력 암호 n이 while 문 바깥에서 초기화된 후(7행) while 문 내부의 맨 마지막 입력으로 인해 변경되며(11행), n에 대한 조건 검사의 결과로 반복 종료 여부가 결정된다는(9행) 세 가지 특징에 주목하면 이 while 문에서는 n이 반복제어 변수라는 것을 쉽게 알 수 있다.

```
1    # -*- coding: utf-8 -*-
2
3    # ex8-1 사용 가능한 암호가 입력될 때까지 무한 반복
```

```
4
5   #def verify(passwd):                              # 함수정의는 예제5-1 참고
6
7   n = int(raw_input("사용할 네 자리 수 암호를 입력하세요: "))
8
9   while not verify(n):
10      print "사용할 수 없는 암호입니다"
11      n = int(raw_input("사용할 네 자리수 암호를 입력하세요: "))
12
13  print "사용할 수 있는 암호입니다"
```

8-2 '*' 부호를 사용하지 않고 '*'를 계산

주어진 두 개의 자연수 a와 b에 대하여, a와 b의 곱을 계산하는 product(a, b) 함수를 덧셈과 뺄셈만을 사용하여 작성하라. 프로그램은 a, b를 입력받아 product(a, b)를 인쇄해야 한다(그림 참고).

두 개의 자연수를 입력하세요:
17
5

17 * 5 = 85

해결

1. product(a, b)는 곱하기가 허용되지 않으므로, 대신 a를 b회 반복적으로 더한다.
2. b회 반복할 것을 미리 알 수 있으므로 for 반복문을 사용한다.

ex8-2는 위 해결 절차를 수행한다. 만약 b = 1인 경우에도 프로그램이 정확한 답을 구해 반환하는지 확인해보자. 참고로 8, 9행의 for 문은 반복제어 변수로 i를 사용하지만 내부 명령에서 변수 i는 전혀 사용되지 않는다.

```
1   # -*- coding: utf-8 -*-

2

3   # ex8-2 * 부호를 사용하지 않고 *를 계산

4

5   def product(a, b):

6       p = a

7

8       for i in range(2, b + 1):

9           p = p + a

10

11      return p

12

13  print("두 개의 자연수를 입력하세요:")

14  x = input()

15  y = input()

16

17  print x, "*", y, "=", product(x, y)
```

8-3 원소의 목록에 대한 멤버십 검사

예제 7-4 힌트에서 멤버십 여부를 반환하는 in 함수에 대해 소개했다. 이 예제에서는, 학습 재료로써, 이와 동일한 내용의 member 함수를 만들어보자. 즉, 원소 item 이 목록 list에 존재하는지 여부를 반환하는 함수 member(item, list)를 작성하라. 작성한 member 함수를 프로그램에서 적당히 테스트하라(그림 참고).

어떤 값이 목록에 있는지 궁금하세요? *bike*
예, 있습니다

****
어떤 값이 목록에 있는지 궁금하세요? *car*
예, 있습니다

****
어떤 값이 목록에 있는지 궁금하세요? *bird*
아니오, 없습니다

파이선으로 쉽게 배우는 **기초 프로그래밍**

1. item이 list의 원소인지 알기 위해 list의 모든 원소에 대해 반복적으로 일치하는지 검사한다.
2. 중간에 멤버임이 판명되면 목록의 마지막 원소까지 검사하지 않고 종료.
3. 목록 원소들을 반복 처리하지만 목록의 중간에서 반복을 중지할 수 있으므로 while 반복문이 적당하다.

ex8-3은 위의 해결 절차를 수행한다. 이 프로그램의 특이한 점은 **반복제어 변수가 두 개**라는 점이다. 카운터 변수 i와 진리값 변수 mem이다.

카운터 변수 i는 반복문 진입 전에 초기화된 후(6행), 반복문 내부에서 하나씩 증가하여 원소들을 차례로 검사하는데 사용되며(13행), 모든 원소들에 대한 검사를 마치면 반복을 종료하도록 제어한다(9행).

또한 진리값 변수 mem은 외부에서 False로 초기화된 후(7행), 원소 item이 목록 list에서 발견되면 True로 갱신되어(11행), 이 경우 검사하지 않은 원소들이 남아 있더라도 while 문을 탈출할 수 있도록 제어한다(9행).

이번 예제를 통해 이처럼 두 변수가 공동으로 반복을 제어하는 경우가 종종 있다는 것도 알아두자.

```
1    # -*- coding: utf-8 -*-
2
3    # ex8-3 원소의 목록에 대한 멤버십 검사
4
5    def member(item, list):
6        i = 0
7        mem = False
8
9        while i < len(list) and not mem:
10           if item == list[i]:
11               mem = True
```

```
12          else:
13              i = i + 1
14
15      return mem
16
17  tom = ['car', 'dog', 'house', 'car', 'bike', 'yacht']
18
19  item = raw_input("어떤 값이 목록에 있는지 궁금하세요? ")
20
21  if member(item, tom):
22      print "예, 있습니다"
23  else:
24      print "아니오, 없습니다"
```

8-4 최대공약수 구하기

두 개의 자연수 a, b의 최대공약수를 구하여 반환하는 함수 gcd(a, b)를 작성하라.
그리고 이 함수를 테스트할 프로그램을 작성하라(그림 참고).

⚠️ 주의

나머지셈(%)은 사용할 수 없다.

```
두 개의 자연수:
48
36

최대공약수: 12
**********
두 개의 자연수:
28
49

최대공약수: 7
**********
두 개의 자연수:
5
5

최대공약수: 5
```

파이선으로 쉽게 배우는 **기초 프로그래밍**

1. **Euclid 호제법**을 사용하면 되지만 나머지셈이 금지되었으므로 이를 조금 변형한 방식을 택한다

2. 즉, 두 수를 비교하여 둘 중 큰 수에서 작은 수를 뺀 차와 작은 수를 다시 비교하는 것을 반복하여 두 수가 같아지면 그 중 하나를 최대공약수로 반환한다.

3. 반복 횟수를 미리 알 수 없으므로 while 반복문을 사용한다

ex8-4는 위의 해결 절차를 수행한다. 이번에도 반복제어 변수는 a, b 두 개의 변수다. 두 변수는 인자로 초기값이 전달되며 반복문 내에서 값이 감소한다. 그리고 두 수가 같아지는 때가 반복 종료 시점이므로 두 변수가 공동으로 반복을 제어한다.

```
1   # -*- coding: utf-8 -*-
2
3   # ex8-4 최대공약수 구하기
4
5   def gcd(a, b):
6       while a != b:
7           if a > b:
8               a = a - b
9           else:
10              b = b - a
11
12      return a
13
14  print "두 개의 자연수: "
15  a = input()
16  b = input()
17
18  print "최대공약수:", gcd(a, b)
```

8-5 항공편 예약시스템

A 항공사 콜센터의 직원용 예약시스템은 다음 작업 메뉴를 제공한다.

- r(eserve) **p f**: 승객 **p**를 항공편 **f**에 예약.

- f(light) **f**: 항공편 **f**에 예약된 승객들을 인쇄.

- p(assenger) **p**: 승객 **p**가 예약한 항공편들을 인쇄

- q(uit): 프로그램 종료.

각각의 메뉴 기능을 수행할 함수 reserve(p, f), flight(f), passenger(p)와 이들을 테스트할 프로그램을 작성하라(그림 참고).

2차원 목록 형태로 예약 정보[p, f]의 목록을 유지한다.

```
command: r Kim 101
command : r Lee 103
command : r Park 101
command : f 101
Kim
Park
command : r Kim 104
command : p Kim
101
104
command : r Choi 101
command : f 101
Kim
Park
Choi
command : q
```

해결

1. [p, f], 즉 [승객, 항공편]의 예약 기록들의 목록 book을 유지한다.

2. reserve(p, f) 함수는 새로운 예약 [p, f]를 book에 추가한다.

3. flight(f) 함수는 book을 검사하여 f 항공편을 예약한 승객들을 찾아 인쇄한다.

4. passenger(p) 함수는 book을 검사하여 p 승객이 예약한 항공편들을 찾아 인쇄한다.

ex8-5는 위의 해결 절차를 수행한다. 예약 정보는 [p, f] 목록 형태의 원소로 book 목록에 추가된다(6행). 21행 while 문의 반복제어 변수가 cmd[0]라는 것을 쉽게 알 수 있다. 참고로 과제 8-8은 추가된 작업 메뉴 'c(예약 취소)'에 대해 다룬다.

```
1   # -*- coding: utf-8 -*-
2
3   # ex8-5 항공편 예약시스템
4
5   def reserve(p, f):
6       book.append([p, f])        # 예약 정보 추가
7
8   def flight(f):
9       for item in book:
10          if item[1] == f:        # 항공편이 일치하면
11              print item[0]       # 승객을 인쇄
12
13  def passenger(p):
14      for item in book:
15          if item[0] == p:        # 승객이 일치하면
16              print item[1]       # 항공편을 인쇄
17
18  book = []                       # 예약장부 초기화
19  cmd = raw_input("command: ").split()
20
21  while cmd[0] != 'q':
22      if cmd[0] == 'r':
23          reserve(cmd[1], cmd[2])
24      elif cmd[0] == 'f':
25          flight(cmd[1])
```

```
26        elif cmd[0] == 'p':
27            passenger(cmd[1])
28
29    cmd = raw_input("command: ").split()
```

8-6 폭탄 돌리기

 여러 명의 플레이어가 빙둘러 서있다. 이중 한 명의 플레이어에게
폭탄이 주어진다. 이 플레이어에서 출발하여 시계방향으로 오른쪽
정해진 간격에 서있는 플레이어에게 폭탄을 넘긴다. 폭탄을 넘겨 받
은 플레이어는 아웃되어 게임에서 제외된다. 방금 아웃된 플레이어의 바로 전 플레이
어부터 출발하여 다시 오른쪽 살아 있는 플레이어들 중 정해진 간격에 서있는 플레이
어에게 폭탄을 넘기고 그를 아웃시키기를 반복한다. 아웃되는 플레이어들을 차례로
인쇄하고 맨 마지막까지 살아 남을 플레이어가 누군지 알아낼 프로그램을 작성하라
(그림 참고).

 주의

살아남은 플레이어 수가 간격의 수보다 작더라도 중복 카운트하면서 진행한다.

 HINT

- 플레이어들을 원형의 목록에 넣고 이 원을 돌면서 반복적으로 폭탄을 넘기도록 게임을 진행한다.
- 플레이어가 폭탄을 받고 아웃될 때마다 해당 플레이어를 목록에서 삭제한다.

```
플레이어들을 빙둘러선 순서로 입력하세요: B K M A C D P
시작 위치를 0 이상의 숫자로 입력하세요: 5
간격을 몇 사람으로 할까요? 3

K가 게임에서 제외되었습니다
C가 게임에서 제외되었습니다
B가 게임에서 제외되었습니다
D가 게임에서 제외되었습니다
A가 게임에서 제외되었습니다
P가 게임에서 제외되었습니다

최종 생존자: M
```

이 문제는 비교적 난이도가 높은 편이지만 지금까지 배운 문제해결 도구들을 잘 활용하여 체계적으로 접근하면 해결이 어렵지만은 않다.

제일 먼저 플레이어들을 차례대로 목록 **players**에 저장해야 한다. 중요한 것은 이들이 직선이 아닌 원형으로 빙둘러선 형태라고 상상하는 것이다(게임 초기 상태 그림 참고). 그리고는 플레이어가 폭탄을 받고 아웃될 때마다 그를 목록에서 삭제한다. 희생자들이 늘어감에 따라 목록이 점점 짧아져 원소 **하나**만 남을 때까지 게임을 진행한다(게임 진행도 그림 참고). 게임 초기 상태 및 게임 진행도는 시작 위치를 5로, 간격을 3으로 하여 진행한 예를 보인다.

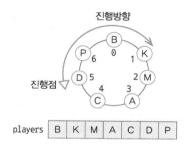

[게임 초기 상태]

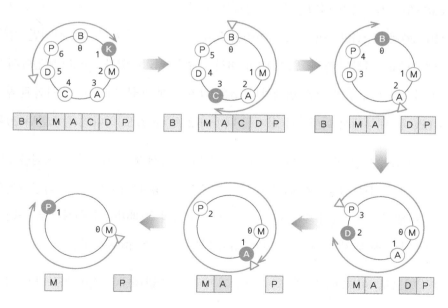

[게임 진행도]

게임 진행에 따라 목록을 어떻게 처리할지 정했으므로 다음의 관련 함수들을 정의한다.

1. 함수 findNext(n, i, k)

    A. 위치 i에서 출발하여 시계방향으로 k 번째 플레이어의 위치를 찾아 반환한다.

    B. 이 위치는, players 목록에 살아 남은 플레이어들만 존재하므로 단순히 (i + k) % len (players) 연산으로 구할 수 있다.

2. 함수 playGame(players, i, k)

    A. 주어진 목록 players의 i (≥ 0) 위치에서 출발, findNext 함수를 사용하여 다음 희생자를 찾아 삭제한 후 새로운 진행점에서 출발하여 다음 희생자를 찾기를 반복한다.

    B. 최초 진행점은 외부 입력으로 주어지며 이후의 진행점은 희생자의 바로 전 플레이어로 정해진다.

    C. 함수 수행 종료와 함께 players 목록에 최종 생존자를 반환한다.

    D. 이 함수는 정해진 횟수만큼 반복적으로 players 목록을 처리하므로 for, while 반복문을 이용한 작성이 모두 가능하다.

위 함수들이 모두 정의되면 주프로그램은 플레이어들을 players 목록에 넣고 playGame 함수를 호출하여 게임을 진행한 후 함수가 반환한 최종 생존자를 인쇄한다.

ex8-6은 지금까지 설명한 해결 절차를 수행한다. 주요 함수 playGame은 for 버전 (10~20행)과 while 버전(22~32행)이 모두 가능하고 효율도 비슷하지만 가독성 면에서 while 버전이 좋다고 보아 for 버전을 주석 처리하였다. while 버전에서 반복제어 변수가 변수 n인 것은 명백하다. n은 최초 플레이어들의 수로 초기화된 후(28행), while 문 내부에서 희생자가 삭제될 때마다(28행) n 값도 하나씩 감소한다(29행).

이 프로그램에서 한가지 주목할 것은 희생자를 삭제한 후 새로운 진행점을 희생자의 바로 전 위치로 설정하기 위한 계산 방식이다. 희생자 위치가 i라면 직선상에서의 바로 전 위치는 i - 1이 맞겠지만, 여기서는 n 명의 플레이어가 원형으로 둘러서 있으므로 바로 전 위치는 (n + i - 1) % n이 되는 것에 주의하자(30행).

마지막으로, 이 프로그램은 최종 생존자가 누군지 밝혀내는 것이 목표라서 이렇게 작성되었지만 최종 생존자의 위치, 즉 애초에 몇번째 위치에 서있어야 마지막까지 살아남는지 알아내는 것이 문제라면 해결이 아주 간단치는 않다. 게임이 진행되면서 목록이 변경되므로 최종 생존자의 위치도 그에 따라 변경되었기 때문이다. 프로그램의 어느 부분을 어떻게 수정하면 목록이 변경되더라도 플레이어들의 최초 위치를 기억할 수 있을지 스스로 생각해보자.

```
1   # -*- coding: utf-8 -*-
2
3   # ex8-6 폭탄 돌리기
4
5   def findNext(n, i, k):
6       i = (i + k) % n
7
8       return i
9
10  #def playGame(players, i, k):              # for ver.
11  #    num = len(players)
12  #
13  #    for n2 in range(0, num - 1):
14  #        n = num - n2                       # n은 역순범위(num ~ 2) 반복
15  #        i = findNext(n, i, k)
16  #        print players[i], "가 게임에서 제외되었습니다"
17  #        del players[i]
18  #        i = (n - 1 + i - 1) % (n - 1)      # 새로운 진행점
19  #
20  #    return players[0]                      # 최종 생존자
21
22  def playGame(players, i, k):              # while ver.
23      n = len(players)
24
```

```
25      while n > 1:
26          i = findNext(n, i, k)
27          print players[i], "가 게임에서 제외되었습니다"
28          del players[i]
29          n -= 1
30          i = (n + i - 1) % n                    # 새로운 진행점
31
32      return players[0]                          # 최종 생존자
33
34  players = raw_input("플레이어들을 빙둘러선 순서로 입력하세요: ").split()
35  i = input("시작 위치를 0 이상의 수로 입력하세요: ")
36  k = input("간격을 몇 사람으로 할까요? ")
37
38  survivor = playGame(players, i, k)
39
40  print "최종 생존자:", survivor
```

8-7 폭탄 돌리기 – 변형

앞의 예제 8-6에서 다루었던 폭탄 돌리기 문제를 조금 변형한다. 게임의 모든 조건
은 전과 같지만 이번엔 폭탄을 넘겨 받은 플레이어가 아웃되는 것이 아니라 그 자리
에 앉기만 한다(물론 게임에서는 제외된다). 그런 후, 방금 앉은 플레이어의 바로 전
플레이어부터 출발하여 다시 오른쪽 살아 있는 플레이어들 중 정해진 간격에 서있는
플레이어에게 폭탄을 넘기고 그를 자리에 앉히기를 계속한다. 맨 마지막까지 선 채로
남을 플레이어가 누군지 알아낼 프로그램을 작성하라.

HINT

- 이번에도 원형의 목록을 사용한다.
- 플레이어가 폭탄을 받을 때마다 해당 플레이어를 "앉은 사람들의 목록"에 넣는다.

먼저, 앞서 예제 8-6과 마찬가지로 원형이라고 상상하는 목록 **players**에 플레이어들을 차례대로 저장한다(게임 초기상태 그림 참고). 폭탄을 받은 플레이어들이 그 자리에 앉게 되면 해당 플레이어는 원래 목록 players에 그대로 남지만 별도의 앉아 있는 플레이어들의 목록 **sitters**에 추가함으로써 어떤 플레이어가 현재 앉아 있는지 따로 알 수 있도록 한다(게임 진행도 그림 참고). sitters는 원형일 필요가 없으므로 선형으로 취급한다.

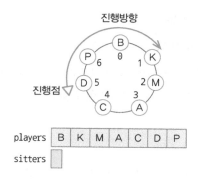

[게임 초기 상태]

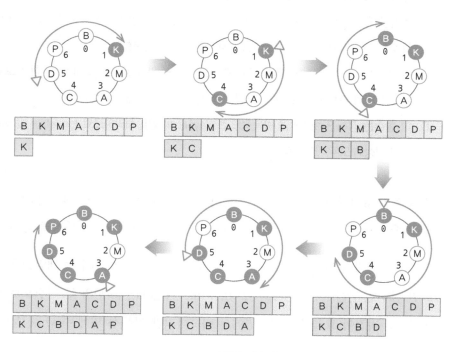

[게임 진행도]

게임을 위해 어떤 목록들을 어떻게 사용할 것인지 결정되었으니 이들을 처리할 다음 함수들을 정의한다.

1. 함수 findNext(players, sitters, num, i, k)
   A. 위치 i에서 출발하여 시계방향 오른쪽에 살아 있는 k 번째 플레이어의 위치를 찾아 반환한다
      – 이때 sitters 목록을 참고하여 앉아 있는 플레이어들을 무시하고 지나간다.
   B. 이 함수는 players 목록을 순회하지만 반복 횟수를 미리 알 수 없기 때문에 while 반복문을
      사용해야 한다.

2. 함수 findLast(players, sitters, num, i)
   A. 위치 i에서 출발하여 시계방향 바로 다음으로 살아 있는 플레이어의 위치를 찾아 반환한다
      – 이때 sitters 목록을 참고하여 앉아 있는 플레이어들을 무시하고 지나간다.
   B. 이 함수는 players 목록을 순회하지만 반복 횟수를 미리 알 수 없기 때문에 while 반복문을
      사용해야 한다.

3. 함수 playGame(players, i, k)
   A. 앉아 있는 플레이어들의 빈 목록 sitters를 초기화하고 게임이 진행됨에 따라 폭탄을 받은 플
      레이어들을 sitters 목록에 차례로 복사 저장한다.
   B. 주어진 목록 players의 i (≥ 0) 위치에서 출발, findNext 함수를 사용하여 다음 희생자를 찾
      고 다시 그 위치에서 출발하여 다음 희생자를 찾기를 반복한다.
   C. 마지막보다 하나 앞선 희생자가 자리에 앉으면 그의 위치 i로부터 findLast(i) 함수 호출로 최
      종 생존자의 위치를 구하고 이로부터 최종 생존자를 알아내어 반환한다.
   D. 이 함수는 정해진 횟수만큼 반복적으로 players 목록을 처리하므로 for, while 반복문을 이
      용한 작성이 모두 가능하다.

위 함수들이 정의되면, 주프로그램은 플레이어들을 players 목록에 넣고 playGame 함수를 호출하여 게임을 진행한 후 함수가 종료하고 반환한 최종 생존자를 인쇄한다.

ex8-7은 지금까지 설명한 해결 절차를 수행한다. playGame함수는 게임을 진행하는 중요한 함수인 만큼 for 버전(22~32행), while 버전(34~46행)의 두 버전으로 작성해 보인다. 두 버전이 효율 등 모든 면에서 비슷하지만 가독성 면에서 while 문이 조금

낮다고 보아 for 버전을 주석 처리했다.

프로그램에 포함된 세 개의 while 문 각각에서 반복제어 변수를 찾아보자. 답은 while 문 차례로 counter, i, n인 것을 그리 어렵지 않게 알 수 있을 것이다. 각각의 변수에 대해 반복제어 변수의 세 가지 특징을 모두 갖추었는지 스스로 확인해보자.

프로그램의 전체적인 길이로 보면 앞서 예제 8-6의 프로그램과 비교하여 약간 복잡해진 것을 알 수 있다. 그 이유는 이 변형에서는 희생자를 players 목록에서 직접 삭제하지 않는 대신, sitters 목록을 통해 희생자들의 정보를 관리해야 하기 때문이다.

마지막으로, 앞서 예제 8-6에서와 달리 최종 생존자의 위치, 즉 애초에 몇번째 위치에 서있어야 마지막까지 살아 남는지 알아내는 것은 이 버전에서는 아주 쉽다. 어떻게 알아낼 수 있을지 스스로 생각해보자.

```python
1   # -*- coding: utf-8 -*-
2
3   # ex8-7 폭탄 돌리기-변형
4
5   def findNext(players, sitters, num, i, k):
6       counter = 0
7
8       while counter < k:
9           i = (i + 1) % num
10
11          if not players[i] in sitters:
12              counter += 1
13
14      return i
15
16  def findLast(players, sitters, num, i):
17      while players[i] in sitters:
```

```
18              i = (i + 1) % num
19
20      return i
21
22  #def playGame(players, i, k):           # for ver.
23  #      n = num = len(players)
24  #
25  #      for round in range(1, num):
26  #          i = findNext(players, sitters, num, i, k)
27  #          print players[i], "가 게임에서 제외되었습니다"
28  #          sitters.append(players[i])
29  #
30  #      survivorIdx = findLast(players, sitters, num, i)
31  #
32  #      return players[survivorIdx]         # 최종 생존자
33
34  def playGame(players, i, k):            # while ver.
35      n = num = len(players)
36      sitters = []                        # 앉은 플레이어들
37
38      while n > 1:
39          i = findNext(players, sitters, num, i, k)
40          print players[i], "가 게임에서 제외되었습니다"
41          sitters.append(players[i])
42          n -= 1
43
44      survivorIdx = findLast(players, sitters, num, i)
45
46      return players[survivorIdx]
47
48  players = raw_input("플레이어들을 빙둘러선 순서로 입력하세요: ").split()
```

파이선으로 쉽게 배우는 **기초 프로그래밍**

```
49  i = input("시작 위치를 0 이상의 숫자로 입력하세요: ")

50  k = input("간격을 몇 사람으로 할까요? ")

51

52  survivor = playGame(players, i, k)

53

54  print "최종 생존자:", survivor
```

과제

8-1 빈칸 채우기

1. while 문은 조건식이 (True , False)인 동안 반복한다.

2. while 문의 반복제어 변수는 세 가지 특징을 가진다. 첫째 반복문 진입 전에 외부에서
   (   )된다는 점, 둘째 반복문 내부에서 값이 (   )된다는 점, 마지막으로 반복
   조건에서 검사의 대상이 된다는 점이다.

3. while 문의 조건이 항상 (True , False)면 while 문의 명령들이 단 한번도 수행되지 않는다. 반
   대로 항상 (True , False)면 while 문은 (   )에 진입하게 된다.

4. 반복의 횟수를 미리 알 수 있을 때는 (   ) 문을, 알 수 없을 때는 (   ) 문을
   사용하는 것이 일반적이다.

5. 목록의 원소들을 차례로 처리해야 하는 경우에는 (   ) 문이 유리하다. 하지만 중간에
   조건에 따라 반복을 중지해야 하는 경우라면 (   ) 문이 유리하다.

6. 처음부터 처리할 목록이 존재하지 않는 반복에서는 (   ) 문이 적당하다. 하지만 이 경
   우에도 일정 횟수만큼 반복해야 한다면 (   ) 문이 유리하다.

8-2 '/' 부호를 사용하지 않고 '/'를 계산

예제 8-2에서 주어진 두 개의 자연수 a, b에 대하여, a와 b의 곱을 계산하는 product(a, b) 함수를 덧셈과 뺄셈만을 사용하고 while 반복문을 사용하여 작성했다. 그와 유사한 문제로, 주어진 두 개의 자연수 a, b에 대하여, a를 b로 나눈 몫을 계산하는 quotient(a, b) 함수를 덧셈과 뺄셈 연산만을 사용하여 작성하라. 프로그램은 a, b를 입력받아 quotient(a, b)를 인쇄해야 한다(그림 참고).

두 개의 자연수를 입력하세요: *17 5*

17 / 5 = 3

HINT

- quotient(a, b) 함수는 a가 b보다 큰 동안 a에서 b를 반복적으로 빼며 그 횟수를 누적한다.
- 곱셈과 달리, 몇 회 반복해야 할지 미리 알 수 없으므로 while 반복문이 적당하다.

8-3 목록의 원소가 모두 0 이상의 수인지 검사

정수로 구성된 목록 list 내에 음수가 하나라도 있으면 False를 반환하는 함수 positive(list)를 작성하라. 원소 가운데 음수가 발견되는 즉시 나머지 원소에 대한 검사를 생략하고 False를 반환하도록 해야 한다. 작성한 positive 함수를 프로그램에서 적당히 테스트하라(그림 참고).

HINT

예제 8-3에서 다루었던 member 함수와 작업 내용이 유사하다.

수의 목록을 입력하세요: *74 29 4 82 6 19*
모두 0 이상의 수입니다

****
수의 목록을 입력하세요: *15 4 9 0 -5 82 -49 30*
음수가 존재합니다

8-4 목록에서 특정 값 원소 모두 삭제

내장 함수 list.remove(item)은 목록 list에 처음 나타나는 원소 item 하나만을 삭제한다. 이와 달리, 주어진 정수들의 목록 list의 **모든** 원소 item을 삭제하여 **갱신**된 list를 반환하는 removeAll(list, item)을 작성하고(두번째 그림 참고), 이 함수를 테스트할 프로그램을 작성하라(두번째 그림 참고).

 주의

'**갱신**'이란 초기화한 목록 원소들을 직접 수정하는 방식으로 작업하라는 의미다.

 HINT

내장 함수 remove와 in을 이용하라.

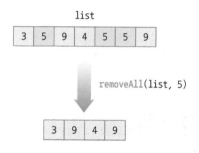

> 목록을 입력하세요: *3 5 9 4 5 5 9*
>
> 어느 원소를 삭제할까요?: *5*
>
> 삭제 후 목록: [3, 9, 4, 9]

8-5 목록에서 중복 원소 제거

주어진 목록 list의 원소 가운데 중복이 있다면 이들을 제거하고 유일한 원소로만 구성되도록 list를 **갱신**하는 함수 findUnique(list)를 작성하라. 그림에서 보듯이, 입력을 통해 초기화한 목록에 findUnique 함수를 호출하여 테스트하라. 갱신 전후 원소들의 순서가 바뀌더라도 무방하다.

초기 목록을 **갱신**해야 한다.

> 목록 원소들을 입력하세요: *dog cat dog bird monkey dog bird*
>
> 갱신된 목록: ['dog', 'cat', 'bird', 'monkey']

8-6 두 목록의 유사성 검사

사용자가 입력한 두 개의 목록 A, B가 **유사**한지 여부를 반환하는 함수 similar(A, B) 및 이를 테스트할 수 있는 프로그램을 작성하라(그림 참고). 두 개의 목록이 '**유사**'하다 함은 두 목록이 중복과 순서를 고려하지 않고 볼 때 동일한 원소들로 구성되어 있음을 의미한다.

 주의

두 개의 빈 목록은 유사하다고 본다.

> 첫번째 목록 원소들을 입력하세요: *dog cat dog bird monkey dog bird*
> 두번째 목록 원소들을 입력하세요: *bird monkey bird cat dog*
>
> 두 개의 목록은 유사합니다
> **********
> 첫번째 목록 원소들을 입력하세요: *5 3 7 9 5*
> 두번째 목록 원소들을 입력하세요: *5 7 7 3*
>
> 두 개의 목록은 유사하지 않습니다

8-7 세균 번식 – 다른 버전

앞서 예제7-5 '세균 번식'에서는 주어진 날짜 수에 세균이 얼마나 생겨날지 물었다. 그와 반대로 여기서는 며칠만에 주어진 세균 수 n 또는 그 이상의 세균이 생겨날지 알아내야 한다. 이를 해결할 함수 countDays(ngerms)를 작성하고 적당히 테스트하라(그림 참고).

파이선으로 쉽게 배우는 **기초 프로그래밍**

생겨날 세균 수: *30*
번식해야 할 날짜 수: 8

HINT

- 규칙대로 번식을 반복 진행하여 새로 생겨나는 세균수가 n 이상에 도달할 때의 날짜 수를 반환한다.
- 원래 버전의 문제와 달리, 이번엔 몇 회 반복해야 할지 미리 알 수 없으므로 while 문이 적당하다.

8-8 항공편 예약시스템 – 확장

앞서 예제 8-5 '항공편 예약시스템'을 확장하여 **취소** 메뉴를 추가한다.

- **c**(cancel) **p f**: 승객 **p**의 항공편 **f** 예약을 취소.

위 작업을 수행할 함수 cancel(p, f)와 이를 테스트할 프로그램을 작성하라(그림 참고).

```
command: r Kim 101
command : r Lee 103
command : r Park 101
command : f 101
Kim
Park
command : r Kim 104
command : p Kim
101
104
command : r Choi 101
command : f 101
Kim
Park
Choi
command : c Kim 101
command : f 101
Park
Choi
command : p Kim
104
```

재귀
– 조금만 하고 나머진 함수에게

9.1 재귀와 재귀 함수
9.2 재귀의 작동 원리
9.3 이중 재귀
9.4 상호 재귀

요약
예제
과제

이 책의 마지막 장에서는 문제해결을 위한 중요하고도 유용한 도구로서 '**재귀**'를 소개한다. **재귀**(recursion)는 함수가 함수 자신을 호출하는 것을 말한다. **재귀 함수**(recursive function)는 함수 자신을 호출하도록 정의된 함수를 말한다. 이런 측면에서 보면 여태까지 우리가 다루었던 함수는 모두 **비재귀 함수**라고 할 수 있다. 또는 반복에 주로 의지했기 때문에 **반복 함수**라고도 한다.

함수가 함수 자신을 단순히 호출만 하도록 정의된다면 아마도 그 함수가 최초 호출된 이후로는 해당 함수 수행을 무한히 되풀이하기만 할 뿐, 결코 정지하지 않는 프로그램이 되기 쉽다. 그런 예가 다음에 보인 prog9-1의 wrong함수며 그림 9-1은 이 프로그램의 수행 결과 입출력의 일부를 보인다.

```
1   # -*- coding: utf-8 -*-
2
3   # prog9-1 잘못된 재귀예
4
5   def wrong(n):
6       if n != 0:
7           print "n =", n
8           wrong(n - 1)
9
10  i = -1
11  wrong(i)
```

```
n = -1
n = -2
n = -3
n = -4
n = -5
...
```

그림 9-1 prog9-1 수행 결과 입출력

반면, 재귀를 올바르게 이용하면 프로그램 작성 상에 여러가지 장점이 있다. 프로그램 작성을 쉽게 하고, 가독성을 높이며, 반복을 대체하기도 한다. 재귀를 잘 이용하려면 재귀 함수를 정의할 때 다음 두 가지 요소를 반드시 포함해야 한다.

- **재귀 호출부**: 인자를 통해 원래보다 한층 작아진 문제를 전달해야 한다.
- **재귀 종점부**: 문제가 충분히 작아지면, 함수는 재귀 호출을 중단하고 문제를 직접 해결하여 반환한다.

9.1.1 잘 설계된 재귀 함수예

이제부터 잘 설계된 재귀 함수와 그렇지 않은 예를 비교해가면서 위에서 말한 요소가 무엇인지 구체적으로 설명한다.

▪ prog9-2 잘 설계된 재귀예

예제 7-1에서 for 문으로 작성했던 자연수 1부터 n까지의 합을 구하는 문제다. 이 문제는 재귀 함수를 이용해도 해결 가능하다. 다음 prog9-2에 보인 findSum(n)은 재귀 함수로서 주어진 문제를 해결한다. findsum 함수가 인자 n과 함께 호출되면 **재귀 호출부**는 원래 인자 n보다 하나 작은 n - 1을 인자로 사용해서 findSum 함수를 다시 호출하므로 원래보다 작아진 문제에 대해 호출하는 것이 된다(9행). 이런 방식으로 점점 작은 값의 n으로 호출을 계속하다가 마지막에 n = 1로 하여 호출하면 **재귀 종점부**의 조건이 처음으로 성립하게 되어(6행) 해당 명령이 수행되는데 그것은 1을 반환하는 간단한 명령이다(7행). 즉, 더 이상의 재귀 호출에 의존하지 않고 문제를 직접 해결한 것이다. 그림 9-2는 prog9-2 수행 결과 입출력을 보인다.

```
1   # -*- coding: utf-8 -*-
2
3   # prog9-2 잘 설계된 재귀예
4
```

```
5    def findSum(n):
6        if n == 1:
7            return 1
8        else:
9            return n + findSum(n - 1)
10
11   i = input("정수를 입력하세요: ")
12
13   print "1부터", i, "까지의 합은", findSum(i), "입니다"
```

정수를 입력하세요: *10*

1부터 10까지의 합은 55입니다

그림 9-2 prog9-2 수행 결과 입출력

prog9-3은 예제 7-1에서 작성했던 findSum 함수의 비재귀 또는 반복 버전이지만 재귀 버전과의 비교를 위해 다시 보인다. prog9-2의 재귀 버전이 비재귀 버전에 비해 for 문을 필요로 하지 않는 만큼 작성이 용이하며, 직관적이고 간결하여(for 문, 그리고 변수 sum, k를 사용하지 않는다) 가독성이 좋다는 장점들을 가진다는 것을 알 수 있다.

```
1    # -*- coding: utf-8 -*-
2
3    # prog9-3 prog9-2의 반복 버전
4
5    def findSum(n):
6        sum = 1
7
8        for k in range(2, n + 1):
9            sum = sum + k
```

```
10
11      return sum
12
13  i = input("정수를 입력하세요: ")
14
15  print "1부터", i, "까지의 합은", findSum(i), "입니다"
```

9.1.2 잘못 설계된 재귀 함수예

prog9-4는 잘못 설계된 재귀 함수의 예를 두 가지 보인다. 두 함수 모두 앞서의
findSum 함수와 동일한 작업 목표를 가지고 있다. 즉, 자연수 1부터 n까지의 합을
구하고자 한다. 하지만 여기의 두 함수 모두 설계 상의 치명적 오류가 있어 작업 목
표대로 작동하지 않는다.

먼저, 위의 findSum 두번째 버전은 재귀 종점부가 누락되었다. 재귀 호출부는 존재
하지만(6행) 재귀 종점부가 없으므로 프로그램이 재귀만 할 뿐 정지할 수 없다. 무한
히 재귀 호출만 계속할 것이다.

다음, findSum 세번째 버전은 재귀 호출부에 오류가 있다. 재귀 호출시 원래 문제 n
보다 작아진 값을 인자로 하여 호출해야 할텐데 그 반대로, n + 1, 즉 더 커진 값을
인자로 하여 호출한다(12행). 이 버전 역시 재귀 호출은 계속되지만 이 오류 때문에
재귀 종점부로부터 멀어지는 방향으로 진행하게 되어 재귀 종점부에 도달할 수가 없
다(9, 10행). 따라서 무한 루프에 진입하게 된다.

```
1   # -*- coding: utf-8 -*-
2
3   # prog9-4 잘못 설계된 재귀예 4
4
```

```
5   def findSum(n):                          # ver.2
6       return n + findSum(n - 1)
7
8   def findSum(n) :                         # ver.3
9       if n == 1:
10          return 1
11      else:
12          return n + findSum(n + 1)
```

9.2 재귀의 작동 원리

 이 절에서는 재귀 함수가 프로그램 수행시 어떤 과정을 거쳐 작동하는지 내용을 살펴보기로 한다.

우선 재귀 함수 호출도 5장에서 설명했던 비재귀 함수 호출과 동일한 일반적 원리로 작동한다. 일반적 원리란 다음과 같다.

- **환경 보존**: 주프로그램이나 함수 수행 중 A라는 환경에서 어떤 함수를 호출하기 직전, A의 변수들의 현재 값들을 보존한다.
- **환경 복구**: 호출한 함수의 수행이 끝나 반환된 즉시, 호출하기 전에 보존했던 A의 변수들의 값들을 되찾아 수행을 계속한다.

재귀 함수 호출에서도 위의 일반적 원리가 그대로 적용된다. 작동 내용을 살펴보기 위해 prog9-2의 수행 절차를 살펴보자.

1. 먼저 주프로그램의 9행에서 입력된 i 값이 3이라고 가정하자. 그리고 나서 13행에서 최초 호출 findSum(i)가 발생한다. 이 호출 환경을 A라 하면 A에서의 i 값은 3이므로 전달되는 값은 i, 즉 3이다.

2. 호출된 findSum(n)은 5행에서 인자로 n = 3을 전달받아 수행한다. 함수 수행 중 9행에서 첫번째 재귀 호출 findSum(n - 1)이 발생한다. 이 호출 환경을 B라 하면 B에서의 n 값은 3이므로 전달되는 값은 n - 1, 즉 2다.

3. 호출된 findSum(n)은 5행에서 인자로 n = 2를 전달받아 수행한다. 함수 수행 중 9행에서 두번째 재귀 호출 findSum(n - 1)이 발생한다. 이 호출 환경을 C라 하면 C에서의 n 값은 2므로 전달되는 값은 n - 1, 즉 1이다.

4. 호출된 findSum(n)은 5행에서 인자로 n = 1을 전달받아 수행한다. 함수 수행 중 6행의 재귀 종점부 조건이 처음으로 True가 되어 7행의 "return 1" 명령을 수행하는데 이는 프로그램 수행 중 첫 반환이다.

5. 1이 반환된 곳은 최근에 호출했던 9행의 findSum(n - 1) 위치며, 반환된 환경은 그때의 환경 C다. 반환 즉시 "return n + 1" 명령이 수행되어야 하는데 환경 C에서 되찾은 n 값은 2므로 2 + 1, 즉 3을 반환한다.

6. 3이 반환된 곳은 최근에 호출했던 9행의 findSum(n - 1) 위치며, 반환된 환경은 그때의 환경 B다. 반환 즉시 "return n + 3" 명령이 수행되어야 하는데 환경 B에서 되찾은 n 값은 3이므로 3 + 3, 즉 6을 반환한다.

7. 6이 반환된 곳은 최근에 호출했던 13행의 findSum(i) 위치며, 반환된 환경은 그때의 환경 A다. 반환 즉시 "1부터", i, "까지의 합은", 6, "입니다"라는 문자열을 출력해야 하는데 환경 A에서 되찾은 i 값은 3이므로 "1부터", 3, "까지의 합은", 6, "입니다"라고 인쇄하고 프로그램을 종료한다.

여기까지 n = 3이라는 비교적 작은 수를 예로 들어 설명했는데도 불구하고 꽤 복잡하다는 느낌이 들 것이다. 하지만 재귀의 수행 절차를 명확하게 설명하기 위해서는 한번쯤은 이렇게 구체적으로 다룰 수 밖에 없다. 이해를 돕기 위해 추가적으로 제시된 그림 9-3은 방금 설명한 호출과 반환의 메커니즘을 나타낸 그림이다. 굵고 길게 돌아가는 화살표는 재귀 호출과 반환의 수행 순서를 보여준다.

다행히도, 지금까지 설명한 재귀의 복잡한 수행 절차, 즉 호출시 환경 보존과 반환시 환경 복구 메커니즘은 시스템이 내부적으로 자동 수행하므로 프로그래머가 일일히 코딩해야 하는 내용은 아니다. 원리만 잘 이해하는 것으로 충분하다.

그림 9-3 findSum(3)에 대한 재귀 호출과 반환의 메커니즘

그림 9-3에서 크게 돌아가는 화살표로 보였듯이 재귀 호출로부터의 반환이 호출 방향의 반대 방향으로 진행된다는 것을 이용하여 해결 가능한 문제가 많다. 다음은 그 예다.

▪ prog9-5 한 라인에 한 숫자씩 인쇄

prog9-5는 정수를 입력받아 큰 자리 수부터 시작하여 한 라인에 한 숫자씩 인쇄하는 프로그램이다(그림9-4 참고). 이 문제해결이 어려운 점은 높은 자리 수부터 인쇄해야 하는데 입력된 수가 몇 자리 수인지 알 수 없으므로 그것을 알 때까지 낮은 자리 수들의 인쇄를 보류해야 한다는 점이다. printLine 함수를 상세히 보면 인쇄문의 실행이 재귀 종점부(6행)에 도달할 때까지 보류된다는 것을 알 수 있다. 재귀 종점부의 인쇄문은 가장 높은 자리 수를 인쇄하는 작업을 담당한다. 재귀 호출부의 인쇄문(10행)은 나머지 자리 수들을 높은 자리부터 인쇄하는데 그 이유는 제일 낮은 자리 수부터 인쇄를 보류하기 때문에 낮은 자리 수일수록 나중에 인쇄되기 때문이다.

```
1    # -*- coding: utf-8 -*-
2
3    # prog9-5 한 라인에 한 숫자씩 인쇄
4
5    def printLine(n):
6        if n < 10:
```

```
7          print n
8      else:
9          printLine(n / 10)
10         print n % 10
11
12  i = input("정수를 입력하세요: ")
13
14  printLine(i)
```

```
정수를 입력하세요: 305
3
0
5
```

그림 9-4 prog9-5 수행 결과 입출력

9.3 이중 재귀

함수가 재귀 호출을 한 번만이 아닌 두 번, 즉 **이중 재귀**(double recursion)하도록 정의할 수 있다. 이런 함수를 이중 재귀 함수라고 한다. 일견 해결이 어려워 보이는 문제들 가운데 이중 재귀로 쉽게 풀리는 것들도 있다. 이제 이중 재귀로 풀리는 문제의 예를 두 가지 보인다.

▪ prog9-6 세균 번식

이 문제 역시 예제 7-5 '세균 번식'에서 for 반복문을 사용하여 해결한 적이 있다. 이번에는 이중 재귀를 사용하여 다시 해결해보자.

prog9-6은 이중 재귀로 이 문제를 해결한다. countGerms(n)함수는 재귀 호출부에서 n − 1 일째와 n − 2일째에 각각 생겨날 세균 수를 재귀 호출로 알아낸 다음(9,

10행) 이 둘을 더하여 n 일째 생겨날 세균 수를 구해 반환한다(11행). 즉, 최초 호출에서 원문제가 원하는 n을 인자로 전달하면 전날과 전전날, 다시 말해 n − 1 일째와 n − 2 일째의 세균 수를 구하는 방식으로 과거를 향한 연속적인 재귀 호출이 이루어진다. 그러다 마지막에는 n = 0 또는 1, 즉 번식 첫째날 또는 둘째날까지 도달하게 된다(6행). 여기가 재귀 종점부며 여기서는 문제에서 주어진 세균 수 1을 각각 반환하면 된다(7행).

예제 7−5에서 보인 해결 프로그램에 비해 변수 사용도 단순하고 반복문도 없어서 프로그램이 간결해진 것을 알 수 있다. 사실 9~11행에 사용된 변수 n1, n2 마저도 사용하지 않고 더 간결하게 만들 수도 있다는 것을 쉽게 알 수 있을 것이다.

```
1   # -*- coding: utf-8 -*-
2
3   # prog9-6 세균 증식
4
5   def countGerms(n):
6       if n == 1 or n == 0:
7           return 1
8       else:
9           n1 = countGerms(n - 1)
10          n2 = countGerms(n - 2)
11          return n1 + n2
12
13  days = input("날짜 수: ")
14
15  germs = countGerms(days)
16
17  print "생겨날 세균 수:", germs
```

■ prog9-7 목록에서 최대값 찾기

이 문제 역시 예제 7-3에서 for 반복문을 사용하여 해결한 적이 있다. 여기서는 이중 재귀를 사용하여 다시 해결해보자.

prog9-7의 findMax 함수 정의를 보면 findMax 함수를 두 번 호출하도록 되어 있다 (14, 15행). 즉, **이중 재귀**인 것이다. findMax 함수는 인자로 list 목록과 l, r을 전달받는다. l(left, 왼쪽)과 r(right, 오른쪽)은 모두 list의 색인 번호로서 최대값을 구할 범위를 정의한다. 즉, findMax(list, l, r)로 호출되면 list의 색인 번호 l부터 r 사이 원소들 중 최대값을 찾아 반환한다. 이 때문에 주프로그램 내에서 최초 호출시 l, r 값으로 0과 len(list) - 1을 각각 전달해야 목록 전체를 대상으로 하는 호출이 된다(25행). r 값으로 len(list)에서 1을 빼지 않으면 하나가 초과되어 오류가 되는 것에 주의하자.

호출된 findMax(list, l, r) 함수는 재귀 호출부에서 최대값 탐색 범위를 이등분한다(13행). 그런 다음 왼쪽 절반과 오른쪽 절반에 대해 findMax를 따로 호출한다(14, 15행). 이후 findMax 함수는 연이은 재귀 호출을 통해 탐색 범위를 또다시 이등분, 이등분, … 해나가다가 더 이상 둘로 나눌 수 없을 만큼 범위가 작아진 경우에 재귀 종점부에 도달한다(10행). 이는 범위 내에 원소가 한 개 밖에 없는 경우다. 이때는 해당 원소를 최대값으로 반환한다(11행).

최초의 반환 이후 호출의 반대 방향으로 돌아오면서 비교와 반환이 번갈아 이루어진다(14~20행). 즉, 이중 재귀 호출에서 반환된 값은 왼쪽에서 제일 큰 값 lmax와 오른쪽에서 제일 큰 값 rmax다(14, 15행). findMax는 이 둘 중 큰 값을 최대값으로 반환한다(17~20행). 이렇게 번갈아 비교, 반환을 수행하다가 마지막 비교는 초기 목록의 왼쪽 절반에서 가장 큰 값과 오른쪽 절반에서 가장 큰 값에 대한 비교다. 이 비교에서 전체 원소 중 가장 큰 값을 최초 호출 위치(25행)로 반환하게 된다.

3장 '연산'에서 설명했듯이, 프로그램에서 나누기('/') 연산은 소수점을 버린다(13행). 만약 소수점을 반올림한다고 전제하면 프로그램이 약간 수정되어야 한다.

```
1   # -*- coding: utf-8 -*-
2
3   # prog9-7 목록에서 최대값 찾기
4
5   def deQuote(list):
6       for i in range(0, len(list)):
7           list[i] = int(list[i])
8
9   def findMax(list, l, r):
10      if l == r:
11          return list[l]
12      else:
13          m = (l + r) / 2
14          lmax = findMax(list, l, m)
15          rmax = findMax(list, m + 1, r)
16
17          if lmax > rmax:
18              return lmax
19          else:
20              return rmax
21
22  list = raw_input("수들을 입력하세요: ").split()
23  deQuote(list)
24
25  print "최대값 =", findMax(list, 0, len(list) - 1)
```

9.4 상호 재귀

상호 재귀(mutual recursion)란 함수 쌍이 서로 번갈아 호출함을 말한다. 게임이라든 가 네트웍 등에서 종종 사용되는 테크닉인데 곧 이어 간단한 예를 들어 보인다.

■ prog9-8 2인 보드 게임

prog9-8은 상호 재귀 함수 쌍을 사용한 예를 보이는 프로그램이다. 주프로그램은 게임 보드를 초기화한 후 가상의 플레이어 둘 중 어느 한쪽부터 게임을 시작하도록 호출한다. 호출된 플레이어는 자신이 원하는 최선의 착수를 한 다음(6, 16행) 상대편 을 호출한다(13, 23행). 상대편 역시 최선의 착수를 한 다음 다시 상대편을 호출한다. 이런 식으로 진행하는데 플레이어는 착수한 때마다 게임에서 방금 승리했는지부터 검사한다(8, 18행). 이 검사가 재귀 종점부다. 승리한 것이 확인되면 승리 메시지를 인쇄하고(9, 19행) 프로그램을 종료한다.

prog9-8이 온전한 게임이 되기 위해서는 다음 몇 개의 함수가 게임 내용에 맞게 추 가적으로 정의되어야 할 것이다. 먼저 initialize() 함수는 게임 보드를 초기화한다. winCheck(board) 함수는 현재의 board가 승리 상황인지 여부를 검사, 반환하는 함 수다. 마지막으로 move(board) 함수는 현재 board 상황에서 선택 가능한 최선의 착 수를 수행하는 함수다.

```
1    # -*- coding: utf-8 -*-
2
3    # prog9-8 2인 보드 게임
4
5    def player1(board):
6        board = move(board)
7
8        if winCheck(board):
```

```
9            print "player1 wins!"
10           return
11     else:
12           print "당신 차례입니다"
13           player2(board)
14
15  def player2(board):
16       board = move(board)
17
18       if winCheck(board):
19            print "player2 wins!"
20            return
21       else:
22            print "당신 차례입니다"
23            player1(board)
24
25  board = initialize()
26  player1(board)
```

요약

- 함수가 함수 자신을 호출하는 것을 **재귀**라고 한다.
- 잘 설계된 재귀는 반복을 대체하고 변수 사용을 줄임으로써 프로그램을 간결하게 만들고 가독성을 높인다.
- 재귀 함수를 정의할 때 **재귀 호출부**와 **재귀 종점부**를 적절하게 설계해야 한다.
- 비재귀 함수 호출과 마찬가지로 재귀 함수 호출 역시 **호출과 반환 메커니즘**이 순차적으로 진행된다.
- 한 함수가 재귀 호출을 두 번 하는 것을 **이중 재귀**라고 하며 이 테크닉은 비교적 난이도가 높은 문제해결에 사용된다
- 두 함수가 서로 번갈아 호출하는 것을 **상호 재귀**라고 한다.

예제

9-1 '*' 부호를 사용하지 않고 '*'를 계산

다음 ex8-2는 앞서 예제 8-2에서 작성한 product 함수다. product(a, b) 함수는 인자로 주어진 두 개의 자연수 a, b에 대하여, 덧셈과 뺄셈만을 사용하여 a와 b의 곱을 계산하여 반환한다. product(a, b)함수의 재귀 버전을 작성하라.

```
1    # ex8-2 * 부호를 사용하지 않고 *를 계산
2
3    def product(a, b):
4        p = a
5
6        for i in range(2, b + 1):
7            p = p + a
8
9        return p
```

해결

다음은 두 자연수 a, b에 대한 곱셈의 재귀적 정의다.

- $a \cdot b = a$ ·· $(b = 1)$
- $a \cdot b = a + a \cdot (b - 1)$ ························· $(b \geq 2)$

ex9-1은 위 정의를 그대로 이용하여 코딩한 것이다. for 문이 없어지고 변수 p가 사용되지 않은 것에 주목하자.

참고로, 과제 9-2와 9-3은 나눗셈(/)과 나머지셈(%)을 재귀를 이용하여 덧셈과 뺄셈만으로 구하는 문제를 다룬다.

```
1    # ex9-1 * 부호를 사용하지 않고 *를 계산
2
3    def product(a, b):
4        if b == 1:
5            return a
6        else:
7            return a + product(a, b - 1)
```

9-2 최대공약수 구하기

다음 ex8-4는 앞서 예제 8-4에서 작성한 gcd 함수다. gcd(a, b) 함수는 인자로 주어진 두 개의 자연수 a, b의 최대공약수를 계산하여 반환한다. gcd(a, b)함수의 재귀 버전을 작성하라.

```
1    # ex8-4 최대공약수 구하기
2
3    def gcd(a, b):
4        while a != b:
5            if a > b:
6                a = a - b
7            else:
8                b = b - a
9
10       return a
```

해결

1. while 문 조건식의 역조건을 **재귀 종점부**의 조건으로 가져온다.
2. while 문의 내부 명령들을 **재귀 호출부**로 가져온다.

ex9-2는 위 해결 절차를 수행한다. while 문이 없어지고 while 조건식의 부호가 반대로 바뀐 것을 알 수 있다(4행).

```
1    # ex9-2 최대공약수 구하기
2
3    def gcd(a, b):
4        if a == b:
5            return a
6        else:
7            if a > b:
8                a = a - b
9            else:
10                b = b - a
11
12            return gcd(a, b)
```

9-3 최대값 구하기

다음은 앞서 본문의 prog9-7에서 작성한 findMax 함수다. findMax(list) 함수는 **이중 재귀**를 통해 list 목록의 원소 중 최대값을 구해 반환한다. 구체적으로, findMax(list)는 list를 **이등분**하고 왼쪽 절반과 오른쪽 절반 각각에 대해 재귀 호출하는 방식으로 작업한다. findMax(list)함수의 **단일 재귀 버전**을 작성하라. 즉, 이중 재귀하지 않고 한번만 재귀해야 한다.

```
1    # prog9-7 목록에서 최대값 찾기
2
3    def findMax(list, l, r):
4        if l == r:
5            return list[l]
6        else:
7            m = (l + r) / 2
8            lmax = findMax(list, l, m)
9            rmax = findMax(list, m + 1, r)
```

```
10
11          if lmax > rmax:
12              return lmax
13          else:
14              return rmax
```

다음 성질을 이용한다 - list 전체의 최대값은 다음 둘 중 큰 값이다.

- list[0], 즉 list의 첫번째 원소
- findMax(list, 1, r), 즉 list의 나머지 원소들 중 최대값

ex9-3은 위 해결 절차를 수행한다. 여기서 findMax(list, 1, r) 함수는 list의 색인 번호1과 r 사이의 원소들 중 최대값을 반환한다. 이를 위해 list[l]과 재귀 호출, findMax(list, 1 + 1, r)의 반환값을 비교하여 둘 중 큰 값을 반환한다. 초기호출은 findMax(list, 0, len(list) - 1)이다(23행).

```
1   # -*- coding: utf-8 -*-
2
3   # ex9-3 최대값 구하기
4
5   def deQuote(list):
6       for i in range(0, len(list)):
7           list[i] = int(list[i])
8
9   def findMax(list, l, r):
10      if l == r:
11          return list[l]
12      else:
```

```
13              max = findMax(list, l + 1, r)
14
15         if list[l] > max:
16                return list[l]
17         else:
18                return max
19
20   list = raw_input("수들을 입력하세요: ").split()
21   deQuote(list)
22
23   print "최대값 =", findMax(list, 0, len(list) - 1)
```

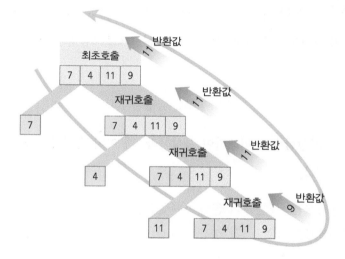

그림은 ex9-3의 수행 과정을 보인다. 그림에서 크게 돌아가는 굵은 화살표가 전체 프로그램의 수행 순서를 보여준다.

1. 우선, findMax(list, l, r) 함수의 초기 호출에 전달된 인자들은 각각 list = [7, 4, 11, 9], l = 0, r = 3 이다.

2. 첫번째 재귀 호출에서 전달되는 인자들은 list = [7, 4, 11, 9], l = 1, r = 3이다. 따라서 0번째 원소 인 7은 탐색 범위에서 제외된다(그림에서 빗금 영역으로 표시).

3. 두번째 재귀 호출에서 전달되는 인자들은 list = [7, 4, 11, 9], l = 2, r = 3이다. 따라서 0, 1번째 원소들인 7, 4는 탐색 범위에서 제외된다.

4. 마지막, 세번째 재귀 호출에서 전달되는 인자들은 list = [7, 4, 11, 9], l = 3, r = 3이다. 따라서 0, 1, 2번째 원소들인 7, 4, 11은 탐색 범위에서 제외된다.

5. 재귀 종점부에서 반환되는 값은 9다.

6. 그 다음부터 초기 호출까지는 계속 11이 반환된다.

7. 프로그램은 최종 반환값 11을 인쇄하고 종료한다.

9-4 유전성 질환

 어떤 **유전성 질환**이 있다. 어떤 사람의 조상 중에 누군가가 이 질환이 있었다는 기록이 있으면 그 사람도 '**양성**', 즉 위험군에 속한다. 어떤 사람 p가 양성인지 검사할 함수 check(p)을 작성하고 이 함수를 이용해 이 사람이 양성인지 아닌지 출력하는 프로그램을 작성하라(아래 수행예 그림 참고).

- check(p): p가 양성이면 True를, 아니면 False를 반환한다.

다음 네 가지 **가상함수**를 이용하여 작성하라. 즉 이미 정의되어 있는 것처럼 사용해도 좋다는 뜻이다.

- patient(p): p가 유전성 질환을 가졌던 병력이 있으면 True를, 아니면 False를 반환한다.
- record(p): p에 대한 의료 기록이 있으면 True를, 없으면 False를 반환한다 – 없는 경우 p의 조상에 대한 의료 기록도 없다고 전제한다.
- f(p): p의 아버지를 반환한다
- m(p): p의 어머니를 반환한다

 HINT
이중 재귀의 좋은 예다.

파이썬으로 쉽게 배우는 **기초 프로그래밍**

■ 수행예

다음 그림은 가상의 가계도를 나타낸다. 가계도에서 원은 사람을 의미한다. 어떤 원
의 왼쪽 가지에 달린 원은 그의 아버지를, 오른쪽 가지에 달린 원은 그의 어머니를 나
타낸다. 따라서 가계도 아래쪽으로 갈수록 그 사람의 선대 조상인 것이다. 가계도 아
래 그림은 프로그램이 가상의 가계도에 대해 수행할 경우 나타나야 하는 입출력이다.

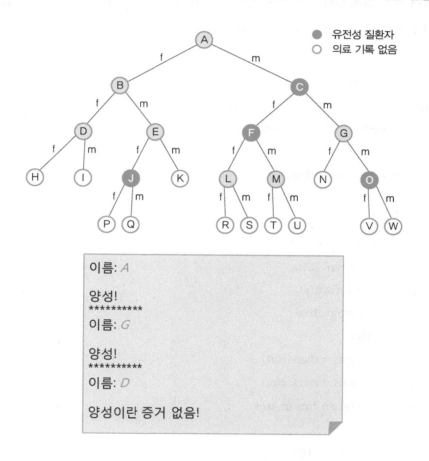

해결

ex9-4-1은 이 문제를 해결하는 프로그램이다. check(p) 함수는 가장 먼저 record(p)
함수로 p에 대한 의료 기록이 있는지부터 검사한 후(8행), patient(p) 함수로 검사하
여(10행) 오류를 방지하는 것에 주의하자. 검사 순서가 반대로 되면 아무 의료 기록
이 없는 사람인데도 병력 조회부터 하게 되어 오류를 일으킬 수 있다. patient(p) 검

■ 수행예

다음 그림은 가상의 가계도를 나타낸다. 가계도에서 원은 사람을 의미한다. 어떤 원의 왼쪽 가지에 달린 원은 그의 아버지를, 오른쪽 가지에 달린 원은 그의 어머니를 나타낸다. 따라서 가계도 아래쪽으로 갈수록 그 사람의 선대 조상인 것이다. 가계도 아래 그림은 프로그램이 가상의 가계도에 대해 수행할 경우 나타나야 하는 입출력이다.

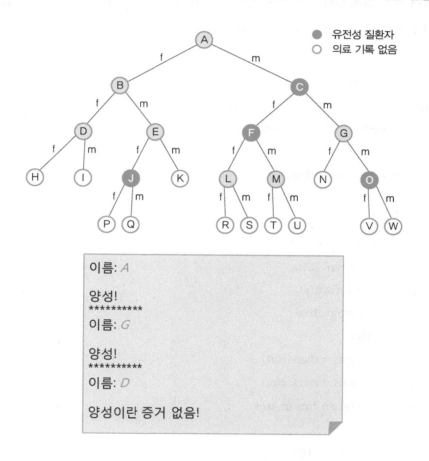

해결

ex9-4-1은 이 문제를 해결하는 프로그램이다. check(p) 함수는 가장 먼저 record(p) 함수로 p에 대한 의료 기록이 있는지부터 검사한 후(8행), patient(p) 함수로 검사하여(10행) 오류를 방지하는 것에 주의하자. 검사 순서가 반대로 되면 아무 의료 기록이 없는 사람인데도 병력 조회부터 하게 되어 오류를 일으킬 수 있다. patient(p) 검

209

CHAPTER 9 재귀 – 조금만 하고 나머진 함수에게

사 결과 p가 질환자인 경우 p의 조상에 대한 검사를 생략하고 True를 반환하지만(11행), p가 질환자가 아닌 경우 p의 조상을 부계와 모계로 나누어 각각에 대해 재귀적으로 검사한 후(13, 14행) 양쪽의 결과를 'or'로 통합하여 반환한다(15행).

프로그램은 check 함수 테스트를 위해 앞서 그림으로 보인 가상의 가계와 동일한 데이터 test_family.ps를 'import' 명령으로 가져와 사용한다(5행). test_family.py 파일의 내용은 프로그램에 뒤이어 보인다.

```
1    # -*- coding: utf-8 -*-
2
3    # ex9-4-1 유전성 질환 ver.1
4
5    from test_family import *              # 가상의 가계
6
7    def check(p):
8        if not record(p):
9            return False
10       elif patient(p):
11           return True
12       else:
13           fpos = check(f(p))
14           mpos = check(m(p))
15           return fpos or mpos
16
17   p = raw_input("이름: ")
18
19   if check(p):
20       print "양성!"
21   else:
22       print "양성이란 증거없음"
```

```python
1   # -*- coding: utf-8 -*-
2
3   # test_family.py
4   #
5   # 다음의 patientlist, norecordlist 목록 및
6   # f(p), m(p) 함수의 반환값은 모두 가상의 가계에 대한 데이터임
7
8   patientlist = ['C', 'F', 'J', 'O']
9   norecordlist = ['H', 'I', 'K', 'N', 'P', 'Q', 'R', 'S', 'T', 'U', 'V', 'W']
10
11  def patient(p):
12      if p in patientlist:
13          return True
14      else:
15          return False
16
17  def record(p):
18      if p in norecordlist:
19          return False
20      else:
21          return True
22
23  def f(p):
24      if p == 'A':
25          return 'B'
26      if p == 'B':
27          return 'D'
28      if p == 'C':
29          return 'F'
30      if p == 'D':
31          return 'H'
```

```python
32      if p == 'E':
33          return 'J'
34      if p == 'F':
35          return 'L'
36      if p == 'G':
37          return 'N'
38      if p =='J':
39          return 'P'
40      if p == 'L':
41          return 'R'
42      if p == 'M':
43          return 'T'
44      if p == 'O':
45          return 'V'
46
47  def m(p):
48      if p == 'A':
49          return 'C'
50      if p == 'B':
51          return 'E'
52      if p == 'C':
53          return 'G'
54      if p == 'D':
55          return 'I'
56      if p == 'E':
57          return 'K'
58      if p == 'F':
59          return 'M'
60      if p == 'G':
61          return 'O'
62      if p == 'J':
```

```
63          return 'Q'
64      if p == 'L':
65          return 'S'
66      if p == 'M':
67          return 'U'
68      if p == 'O':
69          return 'W'
```

ex9-4-1을 읽고 잘 이해하였으면 다음 질문에 대답해보자. check(p) 함수는:

① p의 모든 조상을 **빠짐없이** 검사할까?
② p의 조상 중에 유전성 질환자를 처음 발견하는 **즉시 반환**할까?
③ 그 중간 정도일까?

정답은 ③이다. 왜냐하면 어떤 사람의 부계에서 질환자를 발견한 이후에도 모계에 대한 검사를 계속하기 때문이다.

지문 ②번처럼 하려면, 즉 즉시 반환하도록 하려면 프로그램의 어디를 어떻게 수정해야 할까? ex9-4-2는 이에 관한 수정을 반영한 두번째 버전이다. 이 버전은 부계부터 검사하여(12행) True면 즉시 True를 반환하고 종료한다(13행). 그렇지 않으면 모계를 검사한 결과를 반환한다(15행). 프로그램 다음에 보인 가계도에서 굵은 화살표는 ex9-4-2 프로그램의 수행 순서를 보여준다. 화살표 끝은 조상들에 대한 검사 중 처음 만나는 질환자를 가리키고 있다. 바로 이 시점에 남은 조상들에 대한 조사를 생략하고 프로그램을 종료한다.

```
1   # -*- coding: utf-8 -*-
2
3   # ex9-4-2 유전성 질환 ver.2
4
```

```
5    from test_family import *              # 가상의 가계
6
7    def check(p):
8        if not record(p):
9            return False
10        elif patient(p):
11            return True
12        elif check(f(p)):
13            return True
14        else:
15            return check(m(p))
16
17    p = raw_input("이름: ")
18
19    if check(p):
20        print "양성!"
21    else:
22        print "양성이란 증거없음"
```

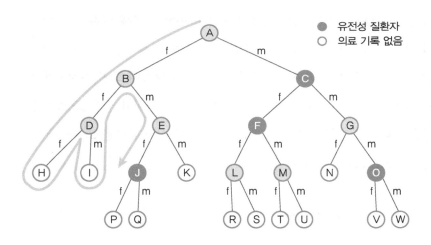

유전성 질환자

의료 기록 없음

9-5 유전성 질환 – 변형

앞서 예제 9-4 '**유전성 질환**' 문제를 약간 변형한다. 이번엔 어떤 사람의 조상 중에 이 질환을 가졌던 사람의 숫자가 3 명 이상이면 이 사람을 '**고위험군**'으로 분류하고 싶다. 어떤 사람 p의 조상 중에 이 유전성 질환자의 수를 반환할 함수 check(p)을 작성하여 해결하라.

• check(p): p의 조상 중에 유전성 질환자 수를 반환한다..

이번에도 앞서 예제와 동일한 네 가지 가상 함수 patient, record, f, m을 이용하여 작성하라.

HINT

이번에도 **이중 재귀**로 해결한다.

■ 수행예

앞서 예제 9-4의 가상적 가계도에 대해 다음 그림과 같이 수행해야 한다.

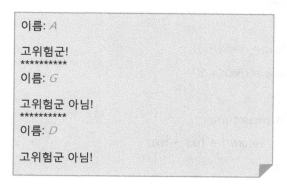

이름: *A*

고위험군!
****
이름: *G*

고위험군 아님!
****
이름: *D*

고위험군 아님!

해결

1. check(p) 함수가 단순한 **진리값**을 반환하는 대신, p의 조상 중 유전성 질환자의 수를 합산하여 반환하도록 수정한다.
2. 부계와 모계로 나누어 **이중 재귀**한 결과를 'or'로 통합하는 대신, '+'로 합산하도록 수정한다.

ex9-5는 위의 해결 절차를 수행한다. check(p) 함수는 어떤 사람 p의 부계와 모계 질환자 수를 구한 후(11, 12행) p가 질환자면 p를 포함하기 위해 1을 더한 값을(15행), 질환자가 아니면 더하지 않은 값을(17행) 각각 반환한다. 프로그램에 뒤이은 그림에서 보는 것처럼 이 check(p) 함수는 불가피하게 p의 **모든** 조상을 검사하고 반환한다. 하지만 p의 조상 중 의료 기록이 없는 사람의 부모는 물론 제외된다. 그림에 주어진 가계에서 check('A') 호출이 4를 반환하는지 각자 확인해보자.

참고로, 과제 9-4는 '유전성 질환' 문제의 또다른 변형을 다룬다.

```python
1   # -*- coding: utf-8 -*-
2
3   # ex9-5 유전성 질환 - 변형
4
5   from test_family import *              # 가상의 가계
6
7   def check(p):
8       if not record(p):
9           return 0
10      else:
11          fpos = check(f(p))
12          mpos = check(m(p))
13
14          if patient(p):
15              return 1 + fpos + mpos
16          else:
17              return fpos + mpos
18
19  p = raw_input("이름: ")
20
21  if check(p) >= 3 :
```

```
22      print "고위험군!"
23  else:
24      print "고위험군 아님!"
```

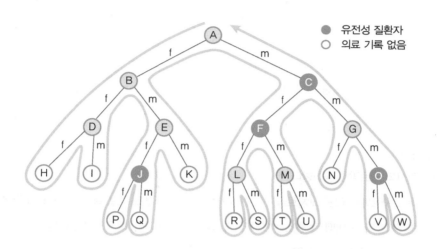

● 유전성 질환자
○ 의료 기록 없음

9-6 최단 거리 찾기

 그림은 A 도시의 도로망이다 – **원**은 교차로를, **선**은 도로를 표시한다. 도로 위의 수는 해당 도로의 거리를 나타낸다. 아무 출발 교차로 start에서 출발하여 아무 목표 교차로 goal까지 가는 최단 거리를 구하는 함수 findMinDist를 작성하라. 그리고 주프로그램에서 그림처럼 다양한 거리의 도로와 교차로를 포함하는 가상의 도로망을 초기화하고 이에 대해 프로그램을 테스트하라(두 번째 그림 참고).

 HINT

비교적 난이도가 높은 문제지만 **재귀**를 사용하면 어렵지 않게 해결할 수 있다.

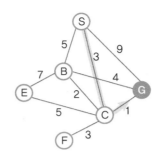

최단 거리: 4

1. 가상의 도로망을 생성한다.

2. 각 교차로에는 이웃 교차로들, 즉 그곳에서 한 개의 연결 도로로 갈 수 있는 교차로들의 목록을 연계시킨다 – 이때 각 원소는 [교차로명, 해당 도로의 거리] 목록으로 만든다.

   예: B = [['S', 5], ['C', 2], ['G', 4], ['E', 7]]

3. 모든 교차로들의 목록을 생성한다 – 이때 각 원소는 [교차로명, 해당 교차로의 목록 변수] 목록으로 만든다.

   예: crossroads = [['S', S], ['B', B], ['C', C], ['E', E], ['F', F], ['G', G]]

4. findMinDist 함수는 다음 세 개의 인자를 가진다.

   A. **path**: 출발 교차로부터 시작하여 지금까지 지나온 교차로명을 저장한 목록

   B. **start**: 출발 교차로명

   C. **goal**: 목표 교차로명

5. findMinDist 함수는 재귀 함수로서 다음을 수행한다:

   A. **재귀 종점부**: start 교차로가 goal 교차로와 일치한 경우 목표에 도착한 것이므로 거리 = 0 을 반환한다.

   B. **재귀 호출부**:

      i. 현재 교차로 start에서 이웃 교차로, 즉 한 개의 도로로 연결된 교차로 c 각각에 대해 다음 두 값을 구해 합산한다: ① start에서 c까지 연결도로의 길이 ② c에서 goal까지 최단 거리, 즉 findMinDist(path + 현재 교차로명, c, goal)

ii. 위 값을 현재까지 알아낸 최단 거리와 비교하여 그 중 작은 것을 최단 거리로 반환한다

6. 주프로그램은 findMinDist([], 'S', 'G')를 호출하여 위 함수를 테스트한다.

다음의 ex9-6은 위 해결 절차를 수행한다. 그에 앞서 제시된 test_crossroads.py 파일은 위 그림에 보인 가상의 도로망 데이터를 저장하고 있다. 이 도로망은 ex9-6 프로그램의 테스트를 위해 5행에서 import하여 사용한다.

crossInfo(cross) 함수는 단순히 교차로명 cross로부터 8~13행의 교차로 정보 가운데 하나를 추출하여 반환한다.

minDist는 결국 최소값을 가지도록 수행될 것이므로 임의의 큰 길이라고 볼 수 있는, 4행에서 수입한 sys 라이브러리 모듈에서 제공하는 maxint로 일단 초기화한 후 차후 갱신되도록 한다(16행).

19행의 검사는 반드시 필요하다. 이 검사를 생략할 경우 이미 지나온 교차로로 되돌아가 길찾기를 무한히 되풀이하게 되어 프로그램이 무한 루프에 빠진다. 바로 이 검사를 위해서 findMinDist의 인자에 path, 즉 지나온 교차로명들의 목록을 포함한 것이다.

이 프로그램에서 가장 어려운 부분은 20행이다. 20행의 재귀 호출부는 이 장에서 처음으로 for 문 내에서 재귀를 수행한다. 다시 말해 지금까지의 다루었던 모든 재귀 호출이 비교적 단조로운 재귀였다고 한다면 20행의 재귀는 **'반복문 내에서 재귀'**를 수행하므로 훨씬 복잡한 구조를 가진다고 할 수 있다. 따라서 이런 프로그램 구조에서 재귀 메커니즘의 흐름을 추적하고 이해하는 데는 평소보다 많은 노력을 요구한다.

20행의 findMinDist 함수 재귀 호출은 start의 이웃 교차로 c[0]에서 출발하여 goal 교차로까지 가는 최단 거리 dist를 구한다. 그리고 이 작업을, 재귀 호출을 포함하고 있는 18행의 for 문으로 인해, start의 이웃 교차로 각각에 대해 모두 수행한다. 재귀 호출의 첫번째 인자로 "path + [start]"를 전달하는 것은 지금까지 지나온 path에 start 교차로를 누적한다는 뜻이다.

22행에서는 방금 앞서 findMinDist 함수가 반환한 최단 거리 dist에다가 start에서 이웃 교차로까지의 연결 도로의 길이 c[1]을 합산한다. 이렇게 해야 start부터 goal까지 전체의 최단 거리가 구해지기 때문이다. 이 작업 역시 for 문 내에서 수행하므로 이웃 교차로 각각에 대해 모두 수행한다.

24~25행에서는 20~22행에서 구한 dist 중에 가장 짧은 dist를 찾아내 minDist에 저장해두는 작업을 수행한다. 모든 재귀 호출이 반환되면 findMinDist 함수는 start에서 goal까지의 최단 거리인 minDist 값을 반환하게 된다(27행).

ex9-6의 주프로그램은 29행에서 출발 교차로를 'S'로, 목표 교차로를 'G'로 하여 테스트 수행하지만 실제 아무 교차로쌍으로 수행하더라도 상관없이 해당 쌍 간의 최단 거리를 구할 수 있다.

마지막으로 이 프로그램은 최단 거리를 구하긴 하지만 최단 경로를 반환하지는 않는다. 최단 경로까지 반환하도록 프로그램을 수정하는 것은 과제 9-6에서 다룬다.

```
1   # -*- coding: utf-8 -*-
2
3   # test_crossroads.py
4   #
5   # 다음의 교차로 정보들은 모두 가상의 도로망에 대한 데이터임
6   # 교차로: S, B, C, E, F, G
7
8   S = [['B', 5], ['C', 3], ['G', 9]]
9   B = [['S', 5], ['C', 2], ['G', 4], ['E', 7]]
10  C = [['S', 3], ['B', 2], ['G', 1], ['E', 5], ['F', 3]]
11  E = [['B', 7], ['C', 5]]
12  F = [['C', 3]]
13  G = [['S', 9], ['B', 4], ['C', 1]]
14
15  crossroads = [['S', S], ['B', B], ['C', C], ['E', E], ['F', F], ['G', G]]
```

```
1    # -*- coding: utf-8 -*-
2
3    # ex9-6 최단 거리 찾기
4    import sys
5    from test_crossroads import *        # 가상의 교차로 정보
6
7    def crossInfo(cross):                 # 교차로명으로부터 교차로 정보 반환
8        for c in crossroads:
9            if c[0] == cross:
10               return c[1]
11
12   def findMinDist(path, start, goal):   # 최단 거리 찾기
13       if start == goal:
14           return 0
15       else:
16           minDist = sys.maxint          # 최단 거리 초기화
17
18           for c in crossInfo(start):    # start의 이웃교차로에 대해 반복
19               if not c[0] in path:      # 이미 지나온 교차로는 가지 않음
20                   dist = findMinDist(path + [start], c[0], goal)
21
22                   dist = c[1] + dist    # c를 거쳐 goal로 갈 경우의 거리
23
24                   if dist < minDist:    # 최단 거리 갱신
25                       minDist = dist
26
27           return minDist
28
29   minDist = findMinDist([], 'S', 'G')
30
31   print "최단 거리 =", minDist            # 최단 거리
```

9-7 하노이탑

이 문제는 아주 고전적인 것으로 컴퓨터 분야에서도 자주 인용되는 유명한 문제다. 문제는 평지에 세 개의 말뚝 A, B, C가 나란히 꽂혀 있는 상황에서 출발한다. B, C 말뚝은 비어 있지만 A 말뚝에는 가운데 구멍이 뚫린 n 개의 원반들이 말뚝의 아래부터 위로 직경이 작아지는 순으로 놓여 있다. 문제는 A 말뚝에 놓인 원반을 모두 C 말뚝으로 옮기라는 것이다. 가운데의 B 말뚝은 원반들의 임시 대기소로 이용할 수 있다. 문제에 대한 답은 원반들을 옮기는 순서를 명시해야 하는데 "x → y" 형식으로 표시하면 된다(x, y는 말뚝 이름). 그림을 참고하라.

■ 조건

• 한 번에 한 개의 원반만 옮길 수 있다.

• 언제라도 직경이 큰 원반을 작은 원반 위에 놓으면 안된다.

• 최종 목표 말뚝에 가기 전까지 이 말뚝 저 말뚝에 놓아 두어도 된다.

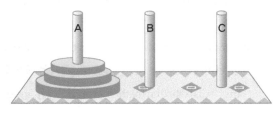

3 개의 원반이면,

A → C
A → B
C → B
A → C
B → A
B → C
A → C

해결

일반적으로, n 개의 원반에 대해 $2^n - 1$ 회의 이동이 필요하다는 것이 증명되었다. 즉,

• n = 1 경우, 1회 이동 필요.

- n = 2 경우, 3회 이동 필요.
- n = 3 경우, 7회 이동 필요.
- n = 64 경우, $2^{64} - 1 = 1.844 \times 10^{19}$회의 이동 필요.

마지막의 n = 64 경우, 1회 이동에 1초 걸린다고 전제하면 이는 5.849×10^8년이 걸린다. 어느 고대인들은 이 세월이 지나면 세상의 끝이라고 생각했다고 하는데 이 숫자는 태양의 수명과 비슷하다는 말도 있다.

이제 문제를 해결해보자. 이 문제의 해결은 재귀적 사고를 요구한다. 바꿔 말하면, 상당히 어려운 문제지만 재귀를 사용하면 비교적 쉽게 해결된다. 여기서 우리는 n 개의 원반을 옮기라는 문제를 풀어내는 hanoi(n) 함수를 작성할텐데, hanoi(n) 함수는 재귀 호출을 통해 원래 문제보다 하나 작아진 문제를 호출한다. 즉, n - 1 개의 원반을 옮기는 문제를 hanoi(n - 1) 형식으로 재귀 호출하는 것이다.

원반들이 말뚝을 이리저리 오가야 하기 때문에 hanoi 함수에게는 원반의 수를 나타내는 첫번째 인자 n 말고도 세 개의 인자가 더 필요하다. 이들은 frm, aux, to이며 이들까지 합쳐진 호출 형식은 hanoi(n, frm, aux, to)가 된다. 추가된 인자들의 의미는 다음과 같다. 인자 frm은 이 원반들을 출발시킬 말뚝 이름, 인자 to는 이 원반들이 도착해야 할 목표 말뚝 이름, 인자 aux는 이 원반들이 임시로 거쳐갈 수 있는 보조 말뚝 이름이다.

ex9-7은 하노이탑 문제를 해결하는 프로그램이다. 최초 호출에서 hanoi 함수에게 B를 보조 말뚝으로 사용하여 n 개의 원반을 A에서 C로 옮기라는 문제가 주어진다(16행). 이때 hanoi 함수의 작업 내용을 다음 그림을 보면서 설명한다.

1. 그림 (a)는 n 개의 원반이 모두 A에 놓여 있는 초기의 상황을 나타낸다. hanoi 함수의 재귀 호출부는 먼저 hanoi(n - 1, frm, to, aux)를 재귀 호출한다(9행, 그림의 〈1〉). 즉, 목표 말뚝을 보조 말뚝으로 사용하여 출발 말뚝에서 n - 1 개만의 원반을 보조 말뚝으로 옮기라는 호출이다.

2. 그림 (b)는 위의 재귀 호출이 수행을 마친 모습이다. n − 1 개의 원반들은 모두 보조 말뚝에 놓이게 된다. 이때, 출발 말뚝의 밑바닥에 하나만 남은 원반을 목표 말뚝으로 옮긴다(10행, 그림의 〈2〉). 이 작업은 한 개의 원반에 대한 작업이므로 직접 수행한다.

3. 그림 (c)는 그 결과를 보인다. 이제 마지막으로, 두번째의 재귀 호출 hanoi(n − 1, aux, frm, to)를 통해 보조 말뚝에 놓인 n − 1 개의 원반들을 목표 말뚝으로 옮긴다(11행, 그림의 〈3〉).

4. 그림 (d)는 위 재귀 호출이 수행을 마친 최종 결과다.

위 1, 3의 재귀 호출이 연이어 재귀 호출을 일으키는 방식으로 진행되어 문제가 풀린다.

```
1   # -*- coding: utf-8 -*-
2
3   # ex9-7 하노이탑
4
5   def hanoi(n, frm, aux, to):
6       if n == 1:
7           print frm, "→", to
8       else:
9           hanoi(n − 1, frm, to, aux)          # 〈1〉
10          print frm, "→", to                   # 〈2〉
11          hanoi(n − 1, aux, frm, to)          # 〈3〉
12
13  n = input("원반 개수? ")
14  print n, "개의 원반이면,"
15
16  hanoi(n, 'A', 'B', 'C')
```

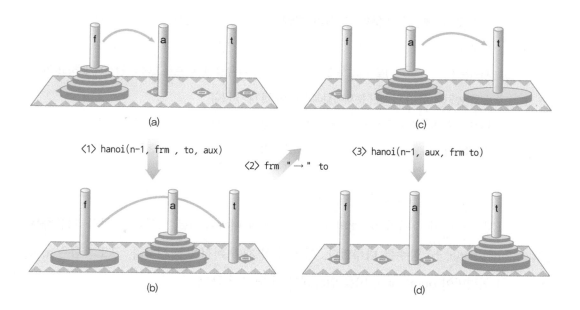

(a)

(c)

〈1〉 hanoi(n-1, frm , to, aux)

〈2〉 frm " → " to

〈3〉 hanoi(n-1, aux, frm to)

(b)

(d)

하노이탑 문제는 재귀를 쓰지 않고 for나 while 문을 사용해서 해결하려 한다면 답을 구하기가 무척 어려운 문제지만 이중 재귀를 사용하면 어렵지 않게 해결되는 문제의 좋은 예다. 재귀로 작성한 프로그램이 수행 속도 면에서 반복 버전에 비해 느린 경우가 종종 있기는 하다. 그러나 이처럼 답을 구하기가 어려운 난해한 문제를 의외로 쉽게 풀기도 하기 때문에 꼭 필요할 때 적절히 사용한다면 유용한 문제해결 도구가 될 수 있다.

과제

9-1 빈칸 채우기

1. 스스로를 호출하도록 정의된 함수를 (   )라고 부른다.

2. 재귀를 잘 설계하려면 재귀를 종료하는 부분인 (   )와 재귀를 진행하는 부분인 (   )가 제대로 작성되어야 한다.

3. 재귀 호출이 여러 번 진행되고 마지막에 반환이 시작되면 호출했던 방향의 (   ) 방향으로 진행된다.

4. 재귀 호출시에는 원래 문제보다 크기 면에서 (커진, 작아진) 문제로 호출하는 것이 반드시 필요하다.

5. 재귀는 (　　　　　)을 대체하고 (　　　　　) 사용을 줄여 프로그램을 간결하게 하고 가독성을 높인다. 특히 난해한 문제해결에 도움이 될 때가 많다.

6. 어떤 함수가 스스로를 두 번 호출하도록 정의되어 있으면 (　　　　　)라고 한다.

7. 두 함수가 서로 호출하도록 정의되어 있으면 이를 (　　　　　)라고 한다.

9-2 '/' 부호를 사용하지 않고 '/'를 계산

과제 8-2에서 주어진 두 개의 자연수 a, b에 대하여, a를 b로 나눈 몫을 계산하는 quotient(a, b) 함수를 다루었다. 이 함수의 **재귀** 버전을 작성하라. 프로그램은 a, b를 입력받아 quotient(a, b)를 인쇄해야 한다(그림 참고).

 주의

덧셈과 뺄셈 연산만을 사용할 수 있다.

> 두 개의 자연수를 입력하세요: *17 5*
> 17 / 5 = 3

9-3 '%' 부호를 사용하지 않고 '%'를 계산

두 개의 자연수 a, b에 대하여, a를 b로 나눈 나머지를 계산하는 modulo(a, b) 함수를 **재귀**를 사용하여 작성하라. 프로그램은 a, b를 입력받아 modulo(a, b)를 인쇄해야 한다(그림 참고).

 주의

덧셈과 뺄셈 연산만을 사용할 수 있다.

```
두 개의 자연수를 입력하세요: 17 5

17 % 5 = 2
**********
두 개의 자연수를 입력하세요: 24 12

24 % 12 = 0
```

9-4 유전성 질환 – 변형 2

예제 9-5 '유전성 질환 – 변형'의 또 다른 변형 문제다. 이번엔 어떤 사람 p의 조상 중 이 질환을 가졌던 사람들을 **남녀**로 구분하여 각각의 수를 검사하고 이 가운데 p 와 같은 성별의 질환자 수가 다른 성별의 질환자 수보다 많을 경우에만 고위험군으로 분류하고 싶다. 주프로그램은 검사대상자의 이름과 성별을 입력받아야 한다(그림 참고).

HINT

재귀를 사용하라.

```
이름: A
성별(남=1, 여=2): 1

고위험군 아님!
**********
이름: G
성별(남=1, 여=2): 2

고위험군!
**********
이름: D
성별(남=1, 여=2): 2

고위험군 아님!
```

9-5 여비 계산 – 재귀 버전

과제 7-7 '여비 계산' 문제를 **재귀**를 사용하여 해결하라.

9-6 최단 거리 및 최단 경로 찾기

예제 9-6 '최단 거리 찾기' 문제를 확장하여 최단 경로도 함께 구하도록 프로그램을
수정하라(그림 참고).

```
최단 거리: 4
최단 경로: ['S', 'C', 'G']
```

INDEX

파이선으로 쉽게 배우는 **기초 프로그래밍**

국형준
- 1979 서울대학교 공과대학 졸업
- 1983 미국 University of South Carolina at Columbia 컴퓨터과학 석사
- 1989 미국 University of Texas at Austin 컴퓨터과학 박사
- 1989~현재 세종대학교 컴퓨터공학과 교수
- 1984~현재 미국인공지능협회(AAAI) 종신회원
- 1989~현재 한국정보과학회(KIISE) 종신회원
- 2001~현재 한국정보처리학회(KIPS) 종신회원

파이선으로 쉽게 배우는 기초 프로그래밍

1판 1쇄 발행 2016년 03월 02일
1판 4쇄 발행 2023년 03월 13일
저   자 국형준
발 행 인 이범만
발 행 처 **21세기사** (제406-2004-00015호)
　　　　경기도 파주시 산남로 72-16 (10882)
　　　　Tel. 031-942-7861   Fax. 031-942-7864
　　　　E-mail : 21cbook@naver.com
　　　　Home-page : www.21cbook.co.kr
　　　　ISBN 978-89-8468-639-7

정가 15,000원